Cylch o Hanner Canrif
1971–2021

Llyfr Dathlu Mudiad Meithrin yn 50
Celebrating 50 years of Mudiad Meithrin

Rhif Llyfr Safonol Rhyngwladol:
978-1-84527-798-7

CYNGOR LLYFRAU CYMRU
BOOKS COUNCIL of WALES

Cyhoeddwyd gyda chymorth Cyngor Llyfrau Cymru

Dylunio'r clawr a'r gyfrol: Dylunio GraffEG

Cyhoeddwyd gan Wasg Carreg Gwalch,
12 Iard yr Orsaf, Llanrwst, Dyffryn Conwy, Cymru LL26 0EH.
lle ar y we: www.carreg-gwalch.cymru

Argraffwyd a chyhoeddwyd yng Nghymru

Cylch o Hanner Canrif
1971–2021

Llyfr Dathlu Mudiad Meithrin yn 50

Murlun: Lowri Roberts

Celebrating 50 years of Mudiad Meithrin

Mudiad Meithrin

Dy law'n fy llaw, ac awn i'n lle'n y cylch
Lle mae cân ddiorffen,
Meim a rhif yn fam i'r wên
A lliwiau'n eiriau llawen

Myrddin ap Dafydd

Gyda diolch i deulu'r Mudiad,
o'r sylfaenwyr cynnar i weithwyr heddiw,
y cyflwynir y llyfr hwn i holl blant bach Cymru.

CYNNWYS
CONTENTS

CADEIRYDDION, CYFARWYDDWYR A PHRIF WEITHREDWYR
CHAIRS, DIRECTORS AND CHIEF EXECUTIVES

1971
Cadeirydd: Emyr Jenkins

1973
Cadeirydd: Cennard Davies

1975
Cyfarwyddwr: Hywel D Roberts
Cadeirydd: Gerald Latter

1977
Cadeirydd: Elen Ogwen

1978
Cyfarwyddwr: J Bryan Jones

1979
Cadeirydd: Indeg Lewis

1981
Cadeirydd: Gwilym Roberts

1985
Cadeirydd: Ellen ap Gwynn

1987
Cadeirydd: Catrin Stevens

1989
Cadeirydd: John Valentine Williams

1991
Cadeirydd: Eirwen Malin

1993
Cyfarwyddwr: Hywel Jones
                                  (newidiwyd y teitl i Brif Weithredwr yn nes ymlaen)
Cadeirydd: Gwyneth Morus Jones

1995
Cadeirydd: Rhiannon Walters

1998
Cadeirydd: Gwenno Hutchinson

2000
Cadeirydd: Mai Roberts

2002
Cadeirydd: Eleri Morgan

2004
Cadeirydd: Rhianwen Huws Roberts

2006
Cadeirydd: Nerys McKee

2008
Cadeirydd: Rhianwen Huws Roberts

2010
Cadeirydd: Geraint Elis

2012
Cadeirydd: Gruff Hughes

2014
Prif Weithredwr: Gwenllian Lansdown Davies*
Cadeirydd: Rhiannon Lloyd

2016 – hyd heddiw
Cadeirydd: Rhodri Llwyd Morgan

* Prif Weithredwr dros dro, cyfnodau mamolaeth:
   Dona Lewis (2015) a Leanne Marsh (2019)

LLYWYDDION ANRHYDEDDUS
HONORARY PRESIDENTS

ar hyd y blynyddoedd ac yn nhrefn yr wyddor
throughout the years and in alphabetical order

Alun Talfan Davies
Anne Brooke
Bethan Roberts
Bryn Terfel
Caryl Parry Jones
Cennard Davies
Edwina Davies
Eirlys Edwards
Emyr Jenkins
Gerald Latter
Gwilym Roberts
Ifanwy Williams
Indeg Lewis
J Bryan Jones
J Cyril Hughes
Meirion Lewis
Owen Edwards

LLYSGENHADON
AMBASSADORS

Shereen Williams
Siôn Tomos Owen

BWRDD CYFARWYDDWYR 2021
BOARD OF DIRECTORS 2021

Rhodri Llwyd Morgan (Cadeirydd)
Alison Rees-Edwards
Anita Evans
Catrin Edwards
Colin Nosworthy
Corinna Lloyd-Jones
Gari Lewis
Geraldine Lublin
Gwennan Schiavone
Gwenno George
Huw Marshall
Huw Williams
Mai Roberts
Nia Owen
Rhianwen Huws Roberts
Savanna Jones

PENNOD 1

CYFLWYNIAD A CHROESO

INTRODUCTION AND WELCOME

CYFLWYNIAD

Mererid Hopwood: Golygydd

A dyna nhw, ar dudalennau 6 a 7, enwau deiliaid y swyddi cyhoeddus. Unigolion a wnaeth gyfraniad aruthrol dros blant lleiaf Cymru a thros yr iaith Gymraeg, ac mewn sawl achos, unigolion sy'n parhau â'u trwyn ar y maen. Y tu ôl i bob un o'r enwau hynny wedyn, mae miloedd o enwau pellach. Enwau torchwyr llewys Mudiad Meithrin: yn wirfoddolwyr, yn staff, yn arweinyddion, yn gynorthwywyr, yn godwyr arian, yn rhieni a gofalwyr. Ac yn sail hollbwysig i'r cyfan, mae enwau cannoedd o filoedd o blant.

Dros y tudalennau nesaf, bydd cyfle i deithio ar wib drwy bum degawd yn hanes y mudiad rhyfeddol hwn. Cawn glywed amrywiaeth o leisiau o'r cychwyn cyntaf hyd heddiw. Cawn flas o rai o'r gobeithion a freuddwydiwyd, yr heriau a wynebwyd a'r gorchestion a gyflawnwyd. Er y bydd y llyfr yn crybwyll ambell ddyddiad a charreg filltir arwyddocaol ar hyd y siwrnai, nid llyfr hanes na llyfr ffeithiau mohono, yn hytrach llyfr dathlu: dathlu'r weledigaeth, y dyfalbarhad a gweithgaredd y mil a mwy o ddarpariaethau blynyddoedd cynnar Cymraeg sydd erbyn heddiw'n cario enw Mudiad Meithrin ym mhob cwr o'r wlad. Y tu ôl i'r grwpiau Cymraeg i Blant, y Cylchoedd Ti a Fi, y Cylchoedd Meithrin a'r Meithrinfeydd Dydd, cawn gip ar gynhaliaeth y cyrsiau hyfforddi, y cyllid, y weinyddiaeth a'r arweinyddiaeth, heb sôn am y rhwydwaith o bwyllgorau. Rhain oll yw prif gymeriadau'r stori hon. Ac mae'n stori i godi calon unrhyw un sy'n caru Cymru, caru'r iaith a charu plant.

Prif Weithredwr a Chadeirydd heddiw sy'n cael y geiriau cyntaf, a rhai o blant cyfredol y Cylchoedd sy'n cael y gair olaf. Rhyngddyn nhw wedyn, yn 'Gwibdaith y Degawdau',

Mererid Hopwood

rhown sylw i brif benawdau'r adroddiadau blynyddol. Yn dilyn hynny, daw 'Atgofion y Cychwyn Cyntaf' lle mae rhai o swyddogion a staff y dyddiau cynnar yn cynnig ambell sylw. Wedyn, yn y bennod 'Ein Meithrin Ni', cawn glywed gan ddau lysgennad presennol y Mudiad a rhai o'r miloedd sydd wedi elwa o'r Mudiad, boed fel plant neu rieni neu rieni'r rhieni, gydag ambell un hefyd yn arweinydd a threfnydd. Diolch i bawb a ymatebodd i'r alwad ar y cyfryngau i rannu eich profiad. Diolch hefyd i'r cyfranwyr am luniau hyfryd ohonyn nhw'n fabanod. Tybed a fyddai'r darllenwyr wedi eu hadnabod?! Er bod yr atgofion yn amrywio yn y manylion, yr un yw gwerthfawrogiad pawb o waith y Mudiad. Yn y bennod hon hefyd, cawn gyfweliad byr gydag un Cylch a fentrodd i fyd y teledu i gael ychydig gymorth mewn cyfyngder! Yna, yn y bennod olaf, 'Y

Cylch a Fi: Hanner Cant a Mwy o Negeseuon', mae lleisiau rhai o rieni heddiw ynghyd â'r lleisiau lleiaf a'r mwyaf oll, sef lleisiau'r plant, yn cloi'r llyfr ond nid y stori. Bydd honno'n parhau am flynyddoedd i ddod.

Wrth ddarllen yr hanes, buan y gwelir bod yr un themâu yn codi eu pen dro ar ôl tro: dychmygu; cynllunio; trefnu a rhwydweithio; codi ymwybyddiaeth; codi arian a phroffesiynoli'r ddarpariaeth. Yn wir, gellid bod wedi gosod y cyfan yn ôl y penawdau hyn. Ond, yn gam neu'n gymwys, dewiswyd trefnu'r stori yn ôl lleisiau, gan obeithio y bydd y gwahanol onglau ar yr un hanes yn rhoi ychydig o ddyfnder i'r dweud.

O ran ystyriaethau golygyddol eraill, mae'r cyfraniadau yn y drydedd bennod yn dilyn yn go agos at drefn gronolegol yr ymwneud â'r Mudiad; yn y bedwaredd wedyn, mae'r cyfraniadau wedi eu gosod yn fras yn nhrefn yr wyddor ac mae amrywiaethau tafodieithol i'w clywed drwyddi draw. Cynigir crynodeb o bob adran yn Saesneg, ac yn y bennod olaf cadwyd dyfyniadau'r rhieni yn yr iaith wreiddiol gan eu gosod yn ddienw. Mae ambell gyfeiriad cynnar at Mudiad Ysgolion Meithrin (MYM) fel yr arferai fod hyd at 2011 pan newidiwyd yr enw i Mudiad Meithrin (MM). Defnyddiwyd hefyd rai termau megis 'Mam a'i Phlentyn' ac 'Anghenion Arbennig' wrth drafod y cyfnodau cynnar, gan nodi bod y rhain erbyn heddiw wedi newid i 'Ti a Fi' ac 'Anghenion Dysgu Ychwanegol' wrth i gymdeithas ymdrechu i ddod yn fwy cynhwysol.

Y nod yw rhoi gwên ar bob tudalen, felly gobeithio y byddwch chi'n mwynhau'r darllen a'r dathlu, a chofiwch fod modd i chi gyfrannu eich lluniau a'ch atgofion eich hunain ar wefan y Mudiad, www.meithrin.cymru, a post@meithrin.cymru yw'r cyfeiriad e-bost.

INTRODUCTION
Mererid Hopwood: Editor

The names listed on pages 6-7 are those of the public-facing postholders. These are individuals who have made an enormous contribution for the benefit of the youngest children in Wales and the Welsh language, and who, in many cases, are still hard at work. And behind each of those names, there are thousands more. The names of those who have knuckled down to get Mudiad Meithrin up and running: volunteers, staff, leaders, assistants, money-raisers, parents, carers. And most important of all, are the names of hundreds of thousands of children.

Over the next pages, we will take a whistle-stop tour through five decades in the history of this remarkable movement. We'll hear a variety of voices from the very beginning to today. We'll experience some of the hopes that were dreamt, the challenges faced and the feats achieved. Though certain significant dates and milestones along the journey will be mentioned, this is not a history volume, rather it is a book of celebration: celebrating the vision, persistence and activities of the thousand-plus Welsh-medium early years providers who today carry Mudiad Meithrin's name in all parts of the country. Behind the Cymraeg for Kids groups, the Cylchoedd Ti a Fi, the Cylchoedd Meithrin and the Meithrinfeydd Dydd (or nurseries), we'll catch a glimpse of the training courses, the financing, the administration and leadership, not to mention the network of committees. All these are the main characters of this story. And it's a story to lift the spirits of anyone who loves Wales, loves the Welsh language and loves children.

The first words are given to the current CEO and Chair, and the last words to some of the children in Cylchoedd today. Between them, in 'Gwibdaith y Degawdau' (A Whistle-stop Tour through the Decades), the highlights of the annual reports are noted. Then comes 'Atgofion y Cychwyn Cyntaf' (The Earliest Memories) where officers and staff from the early days offer some remarks. Next, in the chapter 'Ein Meithrin Ni' (Our Meithrin), we hear from the two current Mudiad ambassadors along with some of the many thousands who have benefited from Mudiad, either as children or parents or parents' parents, some also being leaders and organisers. A sincere thanks to all who responded to the call to share your experiences and to those who found a photograph of their infant self. I wonder if the readers would have recognised you?! Though the memories vary in terms of detail, the appreciation of Mudiad's work remains the same. In this chapter too, you will find a short interview with one Cylch who ventured into the world of television to seek assistance in a crisis! Then, in the last chapter, 'Y Cylch a Fi: Hanner Cant a Mwy o Negeseuon' (Cylch and Me: 50+ Greetings) we hear from some of today's parents and, most importantly, the children. They close the book but not the story. That will continue for years to come.

In reading the book, it will soon become clear that the same themes recur time and again: imagining; planning; organising and networking; raising awareness; raising money and professionalising the provision. Indeed, one option would have been to arrange the material under these headings. However, rightly or wrongly, the story is told by individual voices, in the hope that the different perspectives on the same tale will give the telling some depth.

In terms of other editorial decisions, the contributions in the third chapter follow relatively closely the chronological order of Mudiad's development; in the fourth chapter, contributions are set out in alphabetical order, and here

the dialect and style of the different contributors can be enjoyed. In both these chapters a short summary of each section is offered in English, and in the very last chapter, the quotations from current-day parents have been left in the language in which they were submitted and have been anonymised. There are some early references to 'Mudiad Ysgolion Meithrin' as it was known until 2011 when the name was changed to 'Mudiad Meithrin'. Terms such as 'Mam a'i Phlentyn' (Mother and Child) and 'Anghenion Arbennig' (Special Needs) also appear in the discussion of the early period, whilst noting that by today, these have changed to 'Ti a Fi' (You and Me) and 'Anghenion Dysgu Ychwanegol' (Additional Learning Needs) as society strives to become more inclusive.

The aim is to put a smile on every page, and so here's hoping that you enjoy the reading and the celebration, and don't forget that you can still share your photos and memories on the Mudiad website, www.meithrin.cymru, and post@meithrin.cymru is the e-mail address.

Mererid Hopwood a'i ffrindiau yn Ysgol Feithrin Salem, Canton, Caerdydd.

AR GAEL I BOB PLENTYN

Dr Gwenllian Lansdown Davies: Prif Weithredwr

Bu Mudiad Meithrin yn rhan o'm hymwybyddiaeth i o Gymru ac o Gymreictod ers erioed. Cofiaf Mam yn helpu i gael adeilad newydd i'r Cylch Meithrin ym Machynlleth a hithau'n cael torri'r rhuban i agor y safle. Yn ddiweddarach, bûm ar fflôt Cylch Meithrin Penrhosgarnedd, Bangor, yn y dyddiau pan oedd Carnifal yn norm, a bûm hefyd yn modelu mewn sioe ffasiwn i godi pres i'r 'Mam a'i Phlentyn'! Am fraint felly yw cael bod bellach mewn rôl sy'n arwain mudiad mor allweddol bwysig.

Roedd fy ail ferch, Eldra, yn un mlwydd oed pan ymgeisiais am swydd fel Prif Weithredwr Mudiad Meithrin. Yn ystod bron i saith mlynedd yn y swydd hyd yma, cefais ddau blentyn arall. Galluogodd arloesedd y Mudiad i mi ddychwelyd i'r gwaith gyda'r babi'n dri mis oed a darpariaeth meithrinfa ynghlwm â'r swyddfa'n caniatáu hynny.

Bu pob diwrnod gwaith yn ddiwrnod dysgu. Cyn cychwyn arni, arwynebol oedd fy ngwybodaeth o Mudiad Meithrin o edrych yn ôl. Wyddwn i ddim am gynifer o'r cynlluniau gwaith: y gwaith hyfforddi a chymhwyso oedolion, y gwaith polisi trwyadl, y gwaith lobïo a dylanwadu, y gwaith gyda phlant ag anghenion dysgu ychwanegol, y gwaith sensitif a phwysig gyda'r holl gyrff rheoleiddiol fel Arolygiaeth Gofal Cymru ac Estyn yn benodol, y gwaith mewn carchardai heb sôn am Dewin a Doti!

Gwenllian Lansdown Davies ar fflôt Cylch Meithrin Penrhosgarnedd

Elen Lansdown, mam Gwenllian

Y bara menyn yw'r Cylchoedd eu hunain. Cred rhai (mewn anwybodaeth) mai magwrfa i blant o aelwydydd Cymraeg yw Cylchoedd Ti a Fi a Chylchoedd Meithrin. Nid ydynt yn sylweddoli mai holl genhadaeth a phwrpas ein gwaith yw defnyddio'r blynyddoedd cynnar fel cyfrwng i greu siaradwyr Cymraeg newydd o blith y plant na fyddai'n siarad Cymraeg fel arall. Mae mwyafrif y plant sy'n mynychu Cylch heddiw o gartref sydd â Saesneg yn brif iaith. Mae'r profiad dysgu trwy chwarae hefyd yn hollbwysig yn ei hawl ei hun. Hynny yw, does dim pwynt i ddarpariaeth gofal ac addysg gynnar yn Gymraeg os nad yw'n hwyliog, yn gyffrous ac yn tanio chwilfrydedd pob plentyn.

Cylch Meithrin Penrhosgarnedd yn dathlu pen-blwydd y Mudiad yn 50

Gyda chymorth cefnogaeth ariannol Llywodraeth Cymru ac Awdurdodau Lleol, a chymorth arbenigol swyddogion profiadol o fewn adran Uned y Gymraeg mewn Addysg, cafwyd cyfleon i wireddu nifer o gynlluniau. Yn eu plith, llwyddwyd i benodi nifer o swyddogion Ti a Fi Teithiol, rhoi'r rhaglen Cymraeg i Blant ar waith, dyfnhau a dwysáu gwaith trochi iaith y Mudiad trwy gynllun Croesi'r Bont, sefydlu Cylchoedd Meithrin newydd gyda chreu tîm Sefydlu a Symud a manteisio ar brif-ffrydio darpariaeth hyfforddi'r Mudiad gan gynnig ystod lawn o gymwysterau. Yn fwy diweddar, aeth llawer o'm hamser yn datblygu prosiectau newydd i ddigideiddio'n gwaith ac i sicrhau bod darpariaeth gofal ac addysg Gymraeg ar gael i bob plentyn gan gydweithio gyda phartneriaid gan gynnwys cymunedau Du, Asiaidd a Lleiafrifoedd Ethnig.

Drwy'r cyfan, cefais bleser digamsyniol o bob agwedd o'm gwaith a chyfleon arbennig i fod yn greadigol ac yn fentrus. Cofiaf y ddihafal Siân Wyn Siencyn yn annerch staff Mudiad Meithrin gan edliw'r term 'cyn ysgol' a defnyddio'r gymhariaeth ohoni hi yn ei hymddeoliad fel rhywun oedd felly yn y cyfnod 'cyn marw'! Fel Siân, mae Mudiad Meithrin hefyd yn gwybod mor bwysig yw hi i ystyried cyfnod cynnar ein bywydau fel un i'w barchu ar ei delerau ei hun, nid 'cyn' nac 'ar ôl' unrhyw beth arall. Ond credaf mai gwaddol mwyaf y Mudiad fydd gweld nad oes mo'i angen ryw ddiwrnod, pan fydd ein cyfundrefn gofal ac addysg yn darparu'r gefnogaeth orau posib i'r plant lleiaf a hynny'n awtomatig trwy gyfrwng y Gymraeg.

Gobeithio y gwireddir hynny cyn cyrraedd y 100fed pen-blwydd.

AVAILABLE FOR EVERY CHILD

Dr Gwenllian Lansdown Davies: CEO

Mudiad Meithrin has always been part of my awareness of Wales and things Welsh. I can remember my mother helping to find a new building for the Cylch Meithrin in Machynlleth and that she had the honour of cutting the ribbon to open it. Later, I rode on the Penrhosgarnedd Cylch Meithrin float in the days when Carnivals were the in-thing. I was also a model in a fashion show to raise money for Mam a'i Phlentyn. So it's a great honour to be entrusted with the role of leading a movement of such fundamental importance.

Gwenllian Lansdown Davies

My second daughter, Eldra, was a year old when I applied for the position of CEO of Mudiad Meithrin. During my seven years in post, I have had two more children. Mudiad's ground-breaking approach allowed me to return to work when the babies were three months old, the provision of a nursery attached to the office making it possible.

Every working day has been a day of learning. Looking back, I realise how superficial my knowledge of Mudiad Meithrin was before I began. I knew nothing of so many of its projects: the work of training and qualifying adults, the thorough work on policy, the work of lobbying and influencing, the work with children who had additional learning needs, the important sensitive work with the regulatory bodies, especially Care Inspectorate Wales and Estyn, work in prisons, not forgetting Dewin and Doti!

Having listed some of the administrative work, I must stress that the 'bread and butter' work is the Cylchoedd themselves. Some people mistakenly believe that these

Cylchoedd, Ti a Fi and Meithrin, are nurseries for children from Welsh-speaking families only. They do not realise that the mission and purpose of our work is to use the early years as a means of allowing children, who would otherwise miss out, to become Welsh speakers. The majority of children who come to the Cylchoedd today are from homes where English is the main language. Learning through play is, of itself, a valuable experience too. There's no point providing care and early learning in Welsh if it's not fun and exciting and doesn't spark the curiosity of each child.

With the financial backing of the Welsh Government and Local Authorities, and specialist help from experienced officers of the Welsh in Education Unit, we have been able to bring several plans to fruition. These range

Cylch Meithrin Penrhosgarnedd Nadolig 1985

from appointing officers to the peripatetic Ti a Fi, starting up the Cymraeg i Blant (Cymraeg for Kids) programme, enhancing and strengthening Mudiad's work of immersing children in the language by means of the Croesi'r Bont (from learner to fluency) scheme, establishing new Cylchoedd Meithrin by creating a new Sefydlu a Symud (Set Up and Succeed) team, and taking advantage of the mainstreaming of Mudiad's training provision in order to offer a full range of qualifications. More recently, much of our time has been spent on developing new projects to digitalise our work and to ensure that the provision of care and education through Welsh is available to every child as we work with partners including Black, Asian and Minority Ethnic communities.

All in all, I have derived great pleasure from every aspect of my work and the particular opportunities to be creative and innovative. I remember the incomparable Siân Wyn Siencyn, when she addressed the staff of Mudiad Meithrin, telling us to eschew the term 'pre-school' comparing it to describing her newly-retired self as someone who had reached the stage of 'pre-death'! Like Siân, Mudiad Meithrin knows how important it is to consider that the earliest stage in our lives is one that merits respect on its own terms, not as something 'pre-' or 'post-' something else. But I believe that Mudiad's greatest contribution will come when it is seen to be no longer needed, when the care and education system provides the best possible support for the youngest children, and does so, automatically, through the medium of Welsh.

Let's hope this will be achieved before we reach the centenary.

DATHLIAD DWBL

Dr Rhodri Llwyd Morgan: Cadeirydd

Ganwyd y Mudiad yn ystod Eisteddfod Genedlaethol 1971 ac fe'm ganwyd i ryw wythnos cyn hynny. Rwyf innau o'r herwydd yn dathlu pen-blwydd go arbennig eleni ar y cyd â Mudiad Meithrin.

Yn fuan ar ôl symud 'adre' gyda fy rhieni i Beulah, Ceredigion, yn 1974 penodwyd Mam, Mrs Eleri Morgan, yn athrawes â gofal am Ysgol Feithrin Beulah a agorwyd y flwyddyn gynt ym mis Mai 1973. Byddai'r Ysgol Feithrin yn cyfarfod yn Festri Capel Beulah, y toiledau tu allan, yr adnoddau yn brin ond y naws yn gartrefol a gofalgar. Rhoddodd Mam wasanaeth hir ac arbennig iawn i'r Mudiad, yn athrawes ar Ysgol Feithrin Beulah ac Adpar, Castell Newydd Emlyn, am 27 o flynyddoedd a bu'n Gadeirydd y Mudiad yn negawd gyntaf y milflwydd. Yn ddiau dyma symbyliad hollbwysig fy ymlyniad personol i wrth y Mudiad a'i genhadaeth.

Am sawl blwyddyn, rhywbeth yn y cefndir mewn rhai ffyrdd oedd y Mudiad i mi, fel lleisiau ar y radio yn y gegin, ond pan ddechreuais weithio gyda Bwrdd yr Iaith Gymraeg yn 2000 gwawriodd arnaf yn gyflym iawn y rôl gwbl allweddol a chwaraeai'r Mudiad yn y gwaith o adfywio'r iaith Gymraeg. Deuthum i sylweddoli fod darpariaeth y Mudiad yn berthnasol iawn i hybu trosglwyddiad iaith yn y cartref. Roedd y dull trochi yn cyflwyno'r Gymraeg yn effeithiol i blant bach o bob cefndir, ac roedd yr addysg hon yn sylfaenol i isadeiledd addysg Gymraeg ym mhob cwr o'r wlad.

Ar ben hynny roedd darpariaeth gofal, rhan-amser a llawnamser, yn hwb sylweddol i alluogi teuluoedd i fod mewn gwaith. O dipyn i beth, ehangodd fy neulltwriaeth o'r baich a'r heriau sylweddol a wynebai'r gweithwyr a'r gwirfoddolwyr lleol, ynghyd â'r gwaith pwysig a gyflawnai'r tîm cenedlaethol gyda chefnogaeth y pwyllgorau rhanbarthol a chenedlaethol.

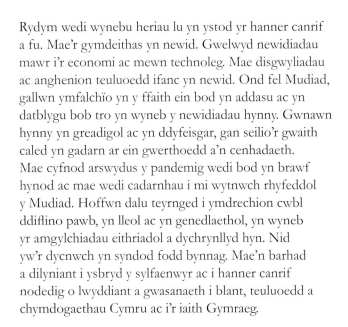

Rhodri Llwyd Morgan

Mawr yw effaith gwaith y Mudiad. Yn naturiol ddigon ceir effaith ar fywydau degau o filoedd o blant a theuluoedd ym mhob rhan o Gymru. Gwelir effaith yng nghanlyniadau'r Cyfrifiad yn ogystal, lle mae'r cynnydd graddol yn nifer y siaradwyr Cymraeg yn y blynyddoedd cynnar a welwyd ers 1981 i'w briodoli i effaith y Cylchoedd. Heddiw, gallwn nodi hynny â chryn falchder ond ni allwn laesu dwylo am un eiliad. Mae angen i ni ymegnïo ac ehangu o'r newydd os ydym am sicrhau nod Llywodraeth Cymru o gyrraedd miliwn o siaradwyr Cymraeg erbyn 2050.

Rydym wedi wynebu heriau lu yn ystod yr hanner canrif a fu. Mae'r gymdeithas yn newid. Gwelwyd newidiadau mawr i'r economi ac mewn technoleg. Mae disgwyliadau ac anghenion teuluoedd ifanc yn newid. Ond fel Mudiad, gallwn ymfalchïo yn y ffaith ein bod yn addasu ac yn datblygu bob tro yn wyneb y newidiadau hynny. Gwnawn hynny yn greadigol ac yn ddyfeisgar, gan seilio'r gwaith caled yn gadarn ar ein gwerthoedd a'n cenhadaeth. Mae cyfnod arswydus y pandemig wedi bod yn brawf hynod ac mae wedi cadarnhau i mi wytnwch rhyfeddol y Mudiad. Hoffwn dalu teyrnged i ymdrechion cwbl ddiflino pawb, yn lleol ac yn genedlaethol, yn wyneb yr amgylchiadau eithriadol a dychrynllyd hyn. Nid yw'r dycnwch yn syndod fodd bynnag. Mae'n barhad a dilyniant i ysbryd y sylfaenwyr ac i hanner canrif nodedig o lwyddiant a gwasanaeth i blant, teuluoedd a chymdogaethau Cymru ac i'r iaith Gymraeg.

A DOUBLE CELEBRATION

Dr Rhodri Llwyd Morgan: Chair

Mudiad Meithrin was born during the 1971 National Eisteddfod, and I was born about a week earlier. Therefore, I too am celebrating an important birthday alongside Mudiad. Shortly after moving 'home' with my parents to Beulah, Ceredigion, in 1974 my mother, Mrs Eleri Morgan, was appointed teacher in charge of the Beulah Ysgol Feithrin (nursery school) which had been opened in May 1973. The Ysgol Feithrin was held in the vestry of Beulah Chapel, with the toilets outside and the facilities sparse, but the environment was homely and caring. My mother gave a long, unstinting service to Mudiad, in Beulah and Adpar, Newcastle Emlyn, for 27 years and as Chair of Mudiad in the first decade of this millennium. Undoubtedly, this was the inspiration for my personal enthusiasm for Mudiad and its mission.

Ysgol Feithrin Adpar Castell Newydd Emlyn 1981

For several years Mudiad was subliminal in some ways for me, rather like the voices on the radio in the kitchen. However, when I began work with the Welsh Language Board in 2000 the importance of Mudiad's role in the work of breathing new life into the Welsh language swiftly dawned on me. I came to realise that what Mudiad offers is very relevant to the drive to ensure that the language is passed down in the home. The 'immersion method' is an effective way of introducing the language to young children of all backgrounds and is the basis of the infrastructure of Welsh-medium education in all corners of the country. In addition, the provision of care, both part- and full-time, is very valuable in enabling families to be in employment. Little by little my understanding of the significant challenges faced by the local workers and volunteers, as well as the important work accomplished by the national team with the backing of regional and national committees, expanded.

The influence of Mudiad's work is huge. Naturally, there is the impact it produces on the lives of tens of thousands of children and families throughout Wales. Its effect is also seen in the Census returns where there has been a gradual increase in the number of younger Welsh speakers since 1981 which can be ascribed to the work of the Cylchoedd, but we cannot rest on our laurels. We must once more energise ourselves and expand anew if the Welsh Government's target of a million Welsh speakers by 2050 is to be achieved.

We have faced a host of challenges in the past fifty years. Society is changing. We have seen great changes in the economy and in technology. The expectations and needs of young families are changing. But as a movement, we can be proud of the fact that we have adapted and changed in the face of these developments. We shall continue to do so creatively by basing the hard work securely on our values and mission. The frightening pandemic has been a severe test which has demonstrated the amazing resilience of Mudiad Meithrin. I would like to pay tribute to the Herculean efforts of everyone, both locally and nationally, under these awful circumstances. This tenacity comes as no surprise however. It is an extension of the spirit of the founders and the half century of success and service to the children and families of Wales, its communities and the Welsh language.

GWIBDAITH Y DEGAWDAU

A WHISTLE-STOP TOUR THROUGH
THE DECADES

Hyd y gwelaf i mae dau fath o beth byw yn y byd, y naill yn teithio drwy amser gan fynd o'r newydd i'r hen, a'r llall yn mynd o'r hen i'r newydd. Os yw bodau dynol yn perthyn i'r math cyntaf, i'r ail fath y perthyn mudiad fel Mudiad Meithrin. Ac wrth baratoi'r gyfrol ddathlu hon a darllen mewn rhyfeddod am ei hanes, daeth hi'n amlwg yn fuan mai un o gyfrinachau llwyddiant Mudiad Meithrin yw ei allu i adnewyddu ei hunan yn gyson o ddegawd i ddegawd.

Yn hynny o beth, nid yw'r Mudiad felly'n 'hen' o hanner canrif eleni ond yn hytrach yn 'newydd' o hanner canrif, ac yn y bennod hon byddwn ni'n olrhain rhai o'r troeon sydd wedi sicrhau'r adnewyddu parhaus hwn. Gwnawn hynny fesul degawd, a chan fod y ddwy ddegawd a hanner cyntaf wedi eu cofnodi mor ofalus gan Catrin Stevens yn *Meithrin, Hanes Mudiad Ysgolion Meithrin 1971–1996*, rhoddir ychydig mwy o fanylion am y ddwy ddegawd a hanner diweddaraf. Gan gofio bod bron i 2,000 o staff yn y Cylchoedd heddiw a 22,000 o blant, heb sôn am y 1,500 o wirfoddolwyr a bron 300 o staff canolig, penderfynwyd osgoi enwi unigolion ar y cyfan ar ôl y cyfnod cyntaf. Esiamplau o'r gweithgaredd sydd yma, gan obeithio eu bod yn cynrychioli ymdrechion pawb.

Ond yn gyntaf, beth am graffu ar y dyddiad geni? Oherwydd, fel ambell seléb, rhaid cydnabod bod Mudiad Meithrin rywfaint yn hŷn na'r hyn a hysbysir! Er mai yn 1971 y cynhaliwyd y cyfarfodydd sefydlu allweddol, (y cyntaf ym mis Awst ar faes y Brifwyl ym Mangor a'r ail ar Fedi'r 25ain yn Aberystwyth), bu'r gwreiddiau yn nhir a daear Cymru ers degawdau cyn hynny.

*

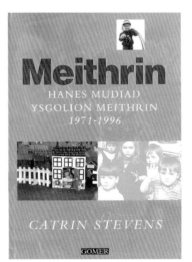

Yn ôl yn 1943, bu'r arloeswr Ifan ab Owen Edwards wrthi'n torri'r gwys gyntaf pan agorodd Ddosbarth Meithrin yn ei Ysgol Gymraeg yn Aberystwyth. Yn yr un flwyddyn, aeth rhieni ati yng Nghaerdydd i gynnal Dosbarth Meithrin ar fore Sadwrn yn Nhŷ'r Cymry, Heol Gordon, ac ymhlith y rhai ar y gofrestr ceir enwau neb llai na darpar Brif Weinidog Cymru, Rhodri Morgan, a'i frawd Prys (a raddiodd o ddyddiau'r trowsus byr i fod yn Athro Emeritws ym Mhrifysgol Abertawe). Ac wrth i'r 40au dynnu at eu terfyn, gwelwyd yn yr un modd rieni ym Maesteg, Glyn Nedd a Phontrhydyfen yn sefydlu Ysgolion Meithrin yn eu hardaloedd hwythau hefyd; a'r cyfan yn cyfrannu at yr ymdrech i sicrhau dyfodol i'r iaith Gymraeg.

Os oedd yr iaith yn mynd i gael ei hachub, roedd y craff wedi hen sylwi nad mater o sicrhau ei bod yn cael ei throsglwyddo ar aelwydydd Cymraeg yn unig oedd yn cyfrif, ond yn hytrach, sicrhau ei bod hefyd yn dod yn fyw ar dafodau babanod yr aelwydydd di-Gymraeg. Dyma pam roedd y cam a welwyd yn 1951 yn Y Barri'n holl bwysig, pan agorwyd drysau'r Ysgol Feithrin yno i **bob** plentyn, boed o gartrefi Cymraeg eu hiaith neu beidio. Er gwaethaf amheuon ambell un, profodd y fenter yn llwyddiant ysgubol a gwelwyd ei hefelychu yn drwch ar hyd y De-ddwyrain.

Roedd y gaseg eira wedi dechrau ar ei thaith.

Efallai nad oedd yr angen yn gwasgu cymaint yn y Gogledd-orllewin yn y cyfnod hwn, gyda'r iaith Gymraeg i'w chlywed yn gliriach yn y cymdogaethau hynny. Fodd bynnag, daeth Cyfrifiad 1961 â'r newyddion bod nifer y siaradwyr Cymraeg wedi gostwng i 26% o'r boblogaeth yn ysgytwad i Gymru gyfan, ac erbyn 1963 roedd Ysgol Feithrin wedi agor ym Mangor.

Tua'r adeg hon digwyddodd dau beth a fyddai'n rhoi hwb sylweddol i addysg feithrin cyfrwng Cymraeg. Yn y lle cyntaf, sefydlwyd Cronfa Glyndŵr drwy haelioni Trefor a Gwyneth Morgan. Pwrpas y Gronfa oedd hybu addysg Gymraeg. Cyflogwyd Dorothy Watcyn Dolben yn drefnydd egnïol, a llwyddodd i ddenu cefnogaeth i sefydlu mwy o Ysgolion Meithrin ledled y wlad. Yn ail, roedd Jac L Williams yn Athro ac yn Ddeon yn y Gyfadran Addysg yn Aberystwyth, a chyda Dr Felicity Roberts cyhoeddwyd ffrwyth gwaith ymchwil yn *Welsh-Medium Nursery Schools, 1968, a Survey. Pamphlet No. 16.* Cynigiodd hwn dystiolaeth ysgolheigaidd i gefnogi dau gasgliad pwysig: ar y naill law, profodd fod y sector meithrin cyfrwng Cymraeg yn hybu dwyieithrwydd, ac ar y llall gwrthbrofodd ragfarnau di-sail ynghylch effaith andwyol addysg ddwyieithog. Roedd hyn yn hwb pwysig i'r fenter.

Dyma nesáu felly ar garlam at 1970, degawd genedigaeth swyddogol y Mudiad, gyda breuddwyd a gweledigaeth yn dod i gwrdd ag arian a ffeithiau.

Os oedd Cyfrifiad 1961 wedi darogan gwae gyda gostyngiad o bron i 3% yn nifer y siaradwyr Cymraeg o'i gymharu ag yn 1951, roedd hi'n argoeli y byddai Cyfrifiad 1971 yn waeth fyth. Roedd rhaid gweithredu! Ysgogwyd symudiad yn Sir Gaernarfon i ddod â'r holl Ysgolion Meithrin at ei gilydd i ffurfio Pwyllgor Sirol, ac yng Nghaerdydd, ffurfiwyd Pwyllgor Canolog gyda'r un nod o dynnu'r grwpiau lleol at ei gilydd. Yn nau begwn lletraws Cymru felly roedd cydweithio lleol wedi dechrau. Y cam nesaf fyddai sicrhau cydweithio ar lefel genedlaethol.

Ac yn Eisteddfod Genedlaethol Cymru, Bangor, Awst 1971 dan gadeiryddiaeth Emyr Jenkins, cynhaliwyd cyfarfod i brofi'r awydd am gydweithio o'r math. Y cynnig oedd sefydlu Cymdeithas Genedlaethol Ysgolion Meithrin. Cefnogodd Mair Jenkin Jones ac Eluned Bebb Jones y cynnig ac fe'i derbyniwyd yn unfrydol. Heb wastraffu gronyn o amser, aed ati i alw cyfarfod ar y 25ain o Fedi, fis a hanner yn ddiweddarach, yng Nghanolfan yr Urdd, Aberystwyth. Ac fel hyn y sefydlwyd Cymdeithas Ysgolion Meithrin Cymraeg.

Tudalen o gofrestr Ysgol Gymraeg fore Sadwrn Tŷ'r Cymry, Caerdydd, 1944

It seems that there are two kinds of living beings in this world: one that travels through time from new to old, and the other from old to new. If human beings belong to the former, then Mudiad Meithrin belongs to the latter. In preparing this celebratory book, and reading in awe about Mudiad's history, it soon became clear that one of the secrets of Mudiad's success has been its ability to continually renew itself through the decades.

In that sense, Mudiad is not 50 years 'old' this year, but rather 50 years 'new'.

This chapter seeks to note some of the moments in that renewal process.

But first, we need to take a good look at the date of birth. Like some celebrities, Mudiad Meithrin is just a bit older than it would claim. Or at least, if the official launch meetings were held in 1971, the events that led to that date took place some decades before.

This then is a summary of Mudiad's five decades, starting at 1971 but with a run-up from the 1940s!

1943. A nursery class was added to Ifan ab Owen Edwards' Welsh School in Aberystwyth. In the same year, parents in Cardiff established a Welsh nursery school on Saturday mornings in Tŷ'r Cymry, Gordon Road.

Late 1940s. Nurseries were established in Maesteg, Glynneath and Pontrhydyfen.

1951. A nursery school was opened in Barry which accepted children from homes where English was the main language, a format then adopted throughout the South East.

Cylch Meithrin Caergybi 1970

1963. A nursery school was opened in Bangor, partly in response to the disappointing figures of the 1961 census, which showed a decline in the number of Welsh speakers.

1968. Professor Jac L Williams and Dr Felicity Roberts published a report which provided evidence to refute the prejudices against bilingual education circulating at the time.

Late 1960s. Caernarfon formed a County committee and Cardiff a Central committee to co-ordinate the activities of the nursery schools in those areas.

August 1971. At the Bangor National Eisteddfod it was agreed that a National Nursery School movement should be set up.

On 25th September 1971 at the Urdd Centre, Aberystwyth, a meeting formally established Cymdeithas Ysgolion Meithrin Cymraeg (Society of Welsh Nursery Schools), the forerunner of Mudiad Meithrin.

Y Ddegawd Gyntaf: Medi 1971–Awst 1981

Bellach, roedd gan Gymru fudiad gwirfoddol a fodolai am ddau reswm: yn y lle cyntaf, er mwyn sefydlu a datblygu Ysgolion Meithrin, ac yn ail er mwyn cefnogi a hyrwyddo addysg cyfrwng Cymraeg. Emyr Jenkins oedd y Cadeirydd gyda Bethan Roberts yn Ysgrifennydd ac Oliver Gregory yn Drysorydd.

Os oedd digonedd o frwdfrydedd, roedd prinder adnoddau addysgu a phrinder arian. O ran y prinder adnoddau, aethpwyd ati i sefydlu dau draddodiad sydd wedi parhau hyd heddiw, sef cynhyrchu deunyddiau a hyfforddi arweinwyr. Gydag is-bwyllgor yn prysur hyrwyddo'r gwaith, daeth cyhoeddiadau fel *Caneuon Chwarae* (1972–3), *Hwiangerddi* (1973) a'r *Llawlyfr Meithrin* (1975) i olau dydd, ac arloesodd Cyfadran Addysg Aberystwyth i ateb y galw o ran hyfforddi gwirfoddolwyr.

O ran y prinder arian, yn 1973 daeth grant o £5,500 drwy'r Swyddfa Gymreig o dan yr Health Services and Public Health Act 1968 i roi hwb i bethau. Roedd yr arian hwn i fod i gael ei wario ar weinyddiaeth genedlaethol a dyma pryd gwelwyd yr 'Ysgolion Meithrin' yn troi'n raddol yn 'Gylchoedd Meithrin', a hynny yn bennaf er mwyn amlygu'r gwahaniaeth rhwng 'addysg ffurfiol' a 'dysgu drwy chwarae'. Gyda'r pwyslais hwn, enillwyd cefnogaeth y Gwasanaethau Cymdeithasol a, maes o law, cafwyd grant i alluogi'r Mudiad i wneud tri pheth: cyflogi Swyddog Maes Cenedlaethol, agor swyddfa

Emyr Jenkins – Cadeirydd cyntaf y Mudiad

Hywel D Roberts – Cyfarwyddwr cyntaf y Mudiad

yng Nghaerdydd a thalu am gymorth gweinyddol. Camodd Bethan Roberts i rôl y swyddog ac yna Gaenor Edwards, gyda Mair Owen yn gweinyddu yn y swyddfa.

Yn y cyfnod hwn, daeth Cennard Davies yn Gadeirydd Cenedlaethol. Gyda chefnogaeth Pwyllgor Cenedlaethol bywiog a rhwydwaith o Bwyllgorau Sirol ac Ardal egnïol roedd y Mudiad bellach yn gwasanaethu 173 o Gylchoedd Meithrin. Yn 1974 cynhyrchwyd dogfen bwysig, *Y Ffordd Ymlaen*. Amlinellodd hon hanes a gobeithion y Mudiad, a dylanwadodd ar adroddiad Cyngor yr Iaith Gymraeg *Y Gymraeg mewn Addysg Feithrin* gan ennyn cryn ganmoliaeth. Fodd bynnag, â'r Cyngor yn rhagweld y byddai'r sector statudol maes o law yn cynnig addysg feithrin i bob plentyn tair a phedair blwydd oed, y darogan oedd mai rhywbeth dros dro fyddai'r Cylchoedd Meithrin!

Dros dro neu beidio, erbyn hyn roedd y grant o gronfa'r Gwasanaethau Cymdeithasol wedi cynyddu i £24,400, a gwelodd y Mudiad ei gyfle i gyflogi Cyfarwyddwr Cenedlaethol am y tro cyntaf. Dyma benodi Hywel D Roberts i'r swydd ac, o dipyn i beth, helaethwyd tîm y Swyddogion Datblygu i wasanaethu Cymru gyfan.

Fesul blwyddyn, roedd nifer y Cylchoedd yn tyfu. Erbyn 1977 roedd dros 300 ohonynt, a'r Mudiad yn ymgyrchu'n frwd i sefydlu mwy. Cyhoeddodd daflenni i ddarbwyllo rhieni di-Gymraeg i roi ail iaith i'w plant: 'Let your child be bilingual' meddai un. Taflen bwysig o fath arall wedyn oedd y ddogfen *Chwe Phwynt Polisi* a gyhoeddwyd yn 1977. Roedd hon yn crisialu gweledigaeth y Mudiad ac yn cynnig arweiniad pendant i bwyllgorau ac arweinyddion Cylchoedd.

*

Ac wrth i'r ddegawd gyntaf dynnu at ei therfyn, roedd hi'n bryd trosglwyddo'r awenau i'r ail Gyfarwyddwr yn ei hanes, sef John Bryan Jones a aeth ymlaen i wasanaethu'r Mudiad am bymtheng mlynedd. Erbyn hyn, roedd y Mudiad wedi ehangu ei gysylltiadau o'r cenedlaethol i'r rhyngwladol. Roedd wedi sefydlu perthynas â'r Bord na Gaeilge yn Iwerddon ac yn cefnogi'r ymdrech i sefydlu Ysgolion Meithrin Gwyddeleg. Buan y gwnaed cyswllt hefyd â Diwan, sef ffederasiwn ysgolion cyfrwng Llydaweg.

Nôl gartref, manteisiwyd ar gyntedd Llyfrgell Corporation Road, Aberystwyth, i ddathlu'r llwyddiannau cynnar fel ffordd o genhadu, gan gynnal arddangosfa am weithgaredd y Mudiad yng Ngheredigion. Cynhaliwyd yr Ŵyl Feithrin gyntaf ym mis Mai 1979 ac mewn amryw o siroedd cynhaliwyd Ras Falŵns. At hyn, ynghyd â mabwysiadu logo a rhyddhau tâp *Hwyl wrth Ganu*, rhoddwyd genedigaeth i'r cymeriad Mabon Meithrin, cymeriad a luniwyd gan y darlunydd arbennig Jac Jones, ac roedd pob un o'r elfennau hyn yn cynnig ffordd i gyrraedd mwy o bobl.

Cyn i'r Mudiad ddathlu ei ben-blwydd yn 10 mlwydd oed, roedd wedi hen sefydlu ei hunan o fewn ymwybyddiaeth y genedl. Roedd eisoes wedi cipio tlws Sefydliad y

Llawlyfr o'r flwyddyn 1975

Merched am 'Y Babell Fwyaf Chwaethus ar Faes yr Eisteddfod Genedlaethol' yn 1979, ac roedd Cylch Aberteifi wedi ennill gwobr Llyfrgell Ceredigion a hynny mewn cystadleuaeth a oedd yn agored i'r sector drwyddo draw, y statudol yn ogystal â'r gwirfoddol.

Yn y cyfnod cynnar hwn gwelwyd yn barod sut roedd y ddau nod sylfaenol yn plethu'n dynn yn ei gilydd, gydag effaith y Mudiad nid yn unig ar feithrin plant ond hefyd ar feithrin dilyniant addysg cyfrwng Cymraeg. Roedd rhieni'r plant a oedd wedi manteisio ar wasanaeth y Cylchoedd yn eu tro yn curo ar ddrws yr ysgolion cynradd Cymraeg. Yn Ne Morgannwg, roedd y Pwyllgor Addysg yn datgan mai dim ond lle i 90 o blant oedd yn y system cyfrwng Cymraeg, ond roedd y rhieni'n chwilio am lefydd i 105! Ac roedd y ddarpariaeth feithrin yn parhau i dyfu gyda 350 o Gylchoedd Meithrin a 40 Cylch 'Mam a'i Phlentyn'. (Ie. 'Mam' cofiwch! Ble roedd y 'tadau' tybed?!)

Os yw adroddiad 1980–81 ar y trothwy rhwng y degawdau yn nodi bod Arfon Wyn wedi ennill cystadleuaeth cyfansoddi cân y Mudiad, doedd pethau ddim yn gân i gyd. Bu protest yn ardal Gwent yn erbyn y cymhorthdal annigonol a gafodd y Sir gan y Swyddfa Gymreig i ddatblygu'r iaith yno, a doedd dim lle i laesu dwylo. Yn haf yr un flwyddyn, a hithau'n Flwyddyn yr Anabl, daeth agwedd bwysig iawn ar waith y Mudiad i'r amlwg wrth iddo drefnu Cylch Meithrin yn ystod gwyliau'r haf yn Aberconwy - Cylch i gynnwys pawb, waeth beth fo'r anghenion.

Ymlaen felly at y ddegawd nesaf!

The 1ˢᵗ Decade: September 1971–August 1981

Twin aims: to establish and develop Ysgolion Meithrin (Welsh-medium nursery schools) and to encourage the development of education through the medium of Welsh.

Great enthusiasm but a shortage of cash and resources led to a culture of creating educational materials and training leaders.

The Department of Education at Aberystwyth devised a course to train volunteers, and publications such as *Caneuon Chwarae, Hwiangerddi* and *Llawlyfr Meithrin* appeared.

1973. A grant of £5,500 from the Welsh Office (increased later to £24,400) led to a change of name from 'Ysgolion Meithrin' to 'Cylchoedd Meithrin' to emphasise that the activities were different from the formal education set-up.

With this funding a National Field Officer was appointed, an office opened in Cardiff and administrative help employed.

A network of energetic County and District committees was formed.

1977. By now there were over 300 Cylchoedd in existence, and a pamphlet 'Let your child be bilingual' was produced.

Connections were established with the Irish Bord na Gaeilge and the Breton Diwan, both movements to encourage the furtherance of education in minoritized Celtic languages.

With the movement firmly established in the national consciousness in Wales, its twin aims were bearing fruit. As the decade drew to a close, there were 350 Cylchoedd Meithrin and 40 Mam a'i Phlentyn groups for even younger children.

1981 summer holiday period. A special Cylch Meithrin was held in Aberconwy for all children, whatever their needs.

**Ysgol Feithrin
Llanbedrog 1977**

Yr Ail Ddegawd: Medi 1981–Awst 1991

A'r Mudiad yn ei arddegau, rhyddhawyd pecyn cyntaf *Clwb Mabon* (sef cyfres yn seiliedig yn fras ar yr *Humpty-Dumpty Club* o wasg Hamlyn a fu'n boblogaidd yn y 1970au). Yna, ar y cyd â'r Brifysgol Agored, lansiwyd dwy ffilm; y naill â'r nod o genhadu ymhlith rhieni di-Gymraeg a'r llall ar gyfer hyfforddi athrawon. Os oedd Cyfrifiad 1981 yn dangos gostyngiad pellach yn nifer y siaradwyr Cymraeg yn gyffredinol, roedd codiad bychan bach yn yr oed 3–15 yn codi calon, ac roedd breichiau'r Mudiad bellach yn ymestyn yn gadarn i'r de-ddwyrain yn ardal Gwent a hyd yn oed y tu hwnt i dir y ffin. Draw ym mhrifddinas Lloegr agorwyd drws Cylch Meithrin Llundain.

Ifanwy Williams

Fel yn y ddegawd gyntaf, roedd rhaid codi arian, ac roedd y dulliau'n ddyfeisgar! Colli pwysau oedd nod un ymgyrch yn 1981–2, ond ennill arian oedd y canlyniad. O'r colli pwysau wedyn i'r picnica, a dau bicnic mawr SuperTed yn 1983 yn denu oddeutu 30,000 i ymuno yn y sbri ar Barc Eirias, Bae Colwyn a Pharc Margam ger Port Talbot.

Soniwyd eisoes am Gylch Meithrin arbennig Aberconwy yn ystod haf 1981, ac erbyn 1983–4 roedd Pwyllgor Anghenion Arbennig wedi ei sefydlu o dan arweiniad Ifanwy Williams. Byddai'r pwyllgor cenedlaethol hwn yn datblygu gwaith pwysig maes o law, oherwydd fel y daw'n amlwg dros y tudalennau nesaf, bu 'cynnwys pob plentyn' yn rhan allweddol o weledigaeth y Mudiad ers y dyddiau cynnar.

Datblygiad pwysig arall yn y ddegawd hon oedd cefnogi'r gwirfoddolwyr i droi'n broffesiynol. I'r perwyl hwn noddwyd cyrsiau i hyfforddi arweinyddion a chynorthwywyr, a sefydlwyd cwrs Y Cam Cyntaf yng Ngholeg Rhydaman. Cwrs 10 sesiwn i staff y Cylchoedd ydoedd, gyda chwrs estynedig wedyn yng Ngholeg Cross Keys, Risga, yn benodol ar gyfer arweinyddion. Yna, o dan faner addawol 'Y Diwrnod Difyr', mae adroddiad blynyddol 1984–5 yn cofnodi sut y daeth holl gynorthwywyr ac arweinwyr y Cylchoedd at ei gilydd i fwynhau arlwy amrywiol o adloniant a hyfforddiant. Cynhaliwyd hwn ar faes y Sioe Amaethyddol yn Llanelwedd gan fod angen lle enfawr i gynnwys pawb erbyn hyn.

Wrth inni droi at ganol yr 80au, roedd y twf mewn gwahanol bocedi o Gymru'n syfrdanol. Agorwyd Cylch Meithrin y Garnant fel y canfed Cylch o fewn un sir yn unig. Ond roedd rôl ehangach y Mudiad yn yr ymgyrch i ddatblygu addysg Gymraeg hefyd yn dod yn fwyfwy amlwg. Ym Mhowys sefydlwyd Mudiad Addysg Ddwyieithog Powys Ganol i alw am gael rhai pynciau drwy gyfrwng y Gymraeg yn Ysgol Uwchradd

Mabon

Llandrindod. Hefyd sefydlwyd Cymdeithas Rhieni Dros Addysg Gymraeg Gwent.

Os oedd y proffesiynoli yn mynd i barhau, roedd angen mwy o arian, ac erbyn cyrraedd y cyfnod hwn cyflwynodd y Mudiad gais llwyddiannus am arian sylweddol oddi wrth Ymddiriedolaeth Ryngwladol Bernard Van Leer. Clustnodwyd y nawdd hwn i sefydlu cynllun arbrofol yn y De–ddwyrain i ehangu a hybu gwaith y Mudiad drwy gynnig dosbarthiadau Cymraeg a sgiliau meithrin i'w rhieni ochr yn ochr ag addysg feithrin Gymraeg i'r plant.

Dros y dŵr yn Iwerddon, roedd 180 Cylch wedi eu sefydlu, ac roedd 29 yn yr Alban ynghyd â 10 Cylch 'Mam a'i Phlentyn' (ie – ymddengys bod diffyg tadau yn yr Alban hefyd!). Ond yng Nghymru, roedd y cynnydd yn sylweddol uwch. Erbyn 1985–6 roedd gennym 465 o Gylchoedd Meithrin a 217 o Gylchoedd Mam a'i Phlentyn ac roedd y gwaith o godi safonau'r Cylchoedd yn parhau. Cynhaliwyd cyrsiau estynedig i arweinyddion yng Nghlwyd, Arfon a Dwyfor yng ngogledd y wlad, a draw yn y De-ddwyrain, yng Ngholeg Pontypŵl, cynhaliwyd cwrs sylfaenol. Datblygiad arwyddocaol yn y cyfnod hwn oedd sefydlu unedau arbennig i ddysgu Cymraeg i blant mewnfudwyr yn ardaloedd Preseli a Thregaron. A thrwy'r cyfan, roedd y Mudiad yn cadw golwg barcud ar y genhadaeth genedlaethol â dathliadau fel y 'Diwrnod Baner' ledled Cymru yn fodd o godi proffil a chadw undod.

Roedd y Mudiad yn anelu nawr at y deunaw oed, ac roedd hi'n bryd cynnal y gynhadledd staff gyntaf. Gwnaed hynny yng Nglan y Fferi ym mis Mawrth 1987. Roedd eisoes wedi cynnal ei Gynhadledd Anghenion Arbennig gyntaf, a hynny yng Ngregynog yn 1986, ac mae'n amlwg o'r cofnodion bod y Mudiad yn teimlo rhwystredigaeth am ddiffyg cydnabyddiaeth ar ran y

Swyddfa Gymreig o bwysigrwydd darpariaeth cyfrwng Cymraeg i'r plant â'r anghenion ychwanegol hyn.

Ond doedd penderfyniad y Mudiad i gynnwys pawb, na'i dwf o ran statws a niferoedd, na'i allu i ddenu grantiau fel nawdd Van Leer ddim yn golygu twf di-gwestiwn o ran cyllideb, ac roedd rhaid parhau â'r ymgyrchoedd codi arian yn y ddegawd hon fel o'r blaen. Mentrodd Gwilym Roberts redeg mini-marathon o amgylch Llyn Tegid yn haf 1985 a llwyddo i godi £4,650 i'r Mudiad. Mae cofnod hefyd yn adroddiad 1987–8 amdano'n cyflawni camp debyg wrth iddo redeg mini-marathon yr Urdd.

Yn 1987 chwyddwyd y coffrau drwy gyngerdd Dafydd Iwan ac Ar Log. Yn yr un flwyddyn, drwy nawdd o £1,000 gan Gronfa Plant Mewn Angen y BBC i ardal De Morgannwg, roedd modd i'r Mudiad ddechrau cynllun Chwarae yn y Cartref i blant oedd yn methu mynychu Cylch am ba bynnag reswm. Yn Arfon wedyn, drwy gymhorthdal gan y cynllun Cyfle i Wirfoddoli gwelwyd cynllun Homestart yn dechrau, ac eto drwy gymorth Cronfa Plant Mewn Angen y BBC cafwyd nawdd i wireddu cynllun Teganfa a oedd yn rhoi cyfle i rieni a'u plant fenthyg teganau. Ac ni allwn anghofio yr apêl genedlaethol i gael cartref parhaol i'r Mudiad. Gyda'r nod o godi £100,000, roedd apêl Ein Tŷ Ni heb os yn un uchelgeisiol iawn.

Gwelodd y ddegawd gerrig milltir arwyddocaol fel Cylch Hen Golwyn yn dathlu ei ben-blwydd yn 21, ac agor Cylch Llansawel yn dod â chyfanswm y Cylchoedd i 500. Erbyn hyn roedd rhaglen lawn o gyrsiau hyfforddi ar lefel Sylfaenol ac Estynedig yn cael eu cynnig ledled Cymru i staff y Cylchoedd. Ac er mwyn cefnogi'r cyfan, roedd yr is-bwyllgor Cyhoeddi yn dal ati i weithio'n ddygn i gynhyrchu adnoddau o bob math. Cyhoeddwyd *Llawlyfr Meithrin y Mudiad* a lansiwyd fideo *Hwyl wrth Symud* yn dangos sut i gyflwyno ymarfer corff, ynghyd â fideo arall, *Ymbarél,* am sut y gellir cynnwys plant ag anghenion ychwanegol yng nghylchoedd y Mudiad.

Roedd wyth canolfan o dan gynllun Van Leer wedi eu sefydlu a statws y Mudiad fel rhan allweddol o'r ddarpariaeth addysg ehangach yn gwbl gadarn. Enghraifft o gryfder hyn oedd y Cylch Meithrin enfawr a gynhaliwyd yn Neuadd y Sir, Abertawe, i dynnu sylw at y galw am drydedd ysgol Gymraeg yn y dref.

A chyda'r drydedd ddegawd o fewn golwg, cafwyd Gorymdaith yn Eisteddfod Dyffryn Conwy, 1989, lle roedd diwyg newydd sbon stondin y Mudiad, a Meithrinfa ar y maes, yn denu sylw ardderchog at yr achos.

Cyhoeddwyd adroddiad blynyddol 1989–90 fel y cyntaf i gynnwys lluniau, ac un o'r lluniau yn eu plith yw'r un o'r Feithrinfa a sefydlwyd ym Mae Cinmel ar gyfer plant y teuluoedd a ddioddefodd yn ystod llifogydd Tywyn, Abergele. Cofnod nodedig arall yn yr adroddiad hwn yw pwrcasiad gan Ardal Gogledd Powys o gyfrifiadur Amstrad PCW9512. Dyma dorri tir newydd heb os!

Cylch Meithrin Cerrigydrudion – Eisteddfod Genedlaethol Llanrwst 1989

Os oedd rhifau'r Cylchoedd yn cynyddu, gyda dros 600 ohonyn nhw erbyn tro'r ddegawd, felly hefyd y gronfa apêl a oedd wedi mynd heibio'r £70,000. Roedd hi'n bryd i'r Mudiad helaethu'r babell, a chyda rhodd o £1,500 gan Gronfa Catherine a'r Fonesig Grace James, Pantyfedwen tuag at y pryniant, symudwyd i bencadlys newydd yn Albany Road, Caerdydd.

Y Feithrinfa a sefydlwyd ym Mae Cinmel

The 2nd Decade: September 1981–August 1991

Resources released included two films; one to spread the word among non Welsh-speaking parents and another for training teachers.

Fund-raising was still an issue, and two large events in Colwyn Bay and Margam Park were attended by 30,000 people.

1983–4. Building on the Aberconwy experience, a committee for the provision of facilities for those with additional learning needs was established.

To enable volunteers to receive professional training, a 10-session course was set up in Ammanford College, and an extended course for leaders was started in Cross Keys College.

1986. A substantial sum was received from the Bernard Van Leer International Trust which enabled Mudiad to offer classes for parents in Welsh and nursery skills in the South East. There were now 465 Cylchoedd Meithrin and 217 Mam a'i Phlentyn groups in existence.

Extended courses for leaders were held in Clwyd, Arfon and Dwyfor, and a basic course was set up in Coleg Gwent, Pontypool. In Preseli and Tregaron, Welsh language courses were run for parents who were newcomers to those areas.

1987. Fund-raising continued apace, both by individuals and communal events.

A full programme of basic and extended courses was on offer to staff of the Cylchoedd throughout Wales.

By the end of the decade over 600 Cylchoedd had been set up and a 'new premises' appeal fund had passed £70,000. With a boost of £1,500 from the Catherine and Lady Grace James Pantyfedwen Foundation, the Head Office moved to Albany Road, Cardiff.

Erthyglau o
Meithrin 1985
ac 1988

Y Drydedd Ddegawd: Medi 1991–Awst 2001

Gyda gofynion Deddf Plant 1989 yn mynnu sylw, profodd y drydedd ddegawd gyfnod o newid sylweddol i'r sector, a'r cwbl yn sbardun pellach i broffesiynoli gweithlu'r Mudiad. Dechreuwyd cynllun peilot y Cwrs Cyfansawdd yng Ngholeg Addysg Bellach Rhydaman. Byddai'r cwrs hwn yn arwain at gymhwyster a fyddai'n cael ei gydnabod gan y Gwasanaethau Cymdeithasol ar gyfer Arweinyddion y Cylchoedd ac yn sail i gymwysterau'r NVQ (National Vocational Qualification neu'r Cymhwyster Galwedigaethol Cenedlaethol). Erbyn adroddiad 1992–3, cofnodir bod y Mudiad yn aelod o bedwar Consortiwm a fyddai'n ffurfio Canolfannau Asesu ar gyfer Cymhwyster Galwedigaethol Cenedlaethol mewn Addysg a Gofal Plant.

Dros y wlad i gyd roedd bwrlwm lleol yn codi o anghenion – a doniau – penodol yr ardaloedd. Mae cofnod Clwyd ar gyfer 1990–1 yn sôn am drefnu Cymanfa Hwiangerddi a chofnod Gwynedd yn nodi'r Feithrinfa a gynhaliwyd yn ystod yr Ŵyl Cerdd Dant. Yn y De-ddwyrain wedyn, roedd gwaith mawr ar y gweill ar

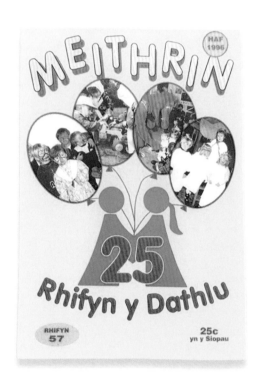

ôl ennill grant sylweddol i gefnogi plant gydag anghenion dysgu ychwanegol, ac yn y Barri, cynhaliwyd cyrsiau byrion i rieni i'w helpu i ddarllen storïau syml i'w plant ac i ddysgu hwiangerddi a chaneuon. Yna, draw yn Neuadd Sir De Morgannwg, Caerdydd, cynhaliwyd Cynhadledd ar Therapi gan bwyllgor Anghenion Arbennig y Mudiad. Hefyd yng Nghaerdydd, cynhaliwyd rali a deiseb fel rhan o ymgyrch i sefydlu ysgolion Cymraeg Cymunedol yn y brifddinas.

Ym Mhowys, roedd Pwyllgor Addysg Sir De Powys wedi cytuno i agor Uned Gynradd Gymraeg yn Rhaeadr, ac ym Medi 1991 gwelwyd agor tair ysgol Gymraeg yng Ngwent: Ysgol Gymraeg Trelyn, Ysgol Gymraeg

Cwmbrân ac Ysgol Gymraeg Brynmawr. Erbyn 1992 roedd Ysgol Uwchradd Llanfair-ym-Muallt yn cynnig rhai pynciau drwy gyfrwng y Gymraeg. Roedd hadau'r Cylchoedd Meithrin yn tyfu boncyffion gwydn.

Gyda nifer o blith y Cylchoedd cynharaf yn dathlu cerrig milltir arwyddocaol fel y 18 oed (Sardis) a hyd yn oed y 25 oed (Bodawen a Hen Golwyn), roedd angen mwy o adnoddau, a gwelwyd cyhoeddi llawlyfr *I Mewn i'r Cylch â Ni* a chasét i gyd-fynd â'r llyfr: *Caneuon Bys a Bawd.*

Roedd hi hefyd yn bryd estyn dwylo nid yn unig dros y môr ond dros y cyfandiroedd, a daeth Refiloe Mofolo, Swyddog Addysg Plentyndod Cynnar Lesotho, ar ymweliad â Chymru. Dyma pryd y lansiwyd ymgyrch Cymru yn Canu Dros Lesotho gan godi £20,000 tuag at addysg feithrin yno. Erbyn adroddiad 1992–3, mae cofnod am Ceinwen Davies yn ymweld â Lesotho ar ran y Mudiad i weld sut roedd yr arian a godwyd yn cael ei ddefnyddio er budd plant y wlad.

*

Roedd cyfnod newydd eto yn hanes y Mudiad ar y gorwel gyda'r Cyfarwyddwr cadarn, J Bryan Jones, yn paratoi i drosglwyddo'r awenau i'w olynydd. Ond cyn gadael, sicrhaodd bod panel yn cael ei ffurfio i greu Polisi Cyfleoedd Cyfartal a bod canllawiau yn cael eu cyhoeddi i gefnogi pob Sir yn y gwaith o sefydlu Cynllun Cyfeirio. Nod y cynllun hwn oedd rhoi pob cyfle i blant ag anghenion dysgu ychwanegol ledled Cymru elwa o brofiad Cylch Meithrin.

Hywel Jones a benodwyd fel Cyfarwyddwr nesaf y Mudiad, (a Phrif Weithredwr gyda threigl amser), ac roedd ei flwyddyn gyntaf yn un o weithgaredd mawr a chyhoeddi pecynnau o bob math. Paratowyd pecynnau

Cylch Meithrin Bodawen yn dathlu 25 oed

gwybodaeth am y Mudiad a'r Cylchoedd ar gyfer Penaethiaid a Llywodraethwyr ysgolion cynradd er mwyn cryfhau'r cysylltiad rhwng y ddwy ddarpariaeth. Lansiwyd hefyd becyn *Cynllun Cyd-chwarae,* sef pecyn cynhwysfawr o ddeunydd hyfforddiant ar sut i gynnwys plant ag anghenion dysgu ychwanegol. Pecyn arall oedd pecyn *Castell Cledwyn* a baratowyd ar y cyd ag Awdurdod Hybu Iechyd Cymru. Y nod gyda hwn oedd cyflwyno pwysigrwydd cadw'n iach i blant a'u teuluoedd. Drwy hyn oll, hawdd gweld sut yr oedd gwaith y Mudiad yn gorgyffwrdd â phob agwedd ar fywyd cynnar plant.

Roedd Mabon wedi hen gael Mabli yn ffrind, a'r Cwmni Mabon a Mabli wedi ei sefydlu fel cwmni annibynnol yn 1993–4. Nod y Cwmni oedd cynhyrchu a hybu gwerthiant deunyddiau Cymraeg i blant bach. Erbyn 1994 roedd gan y ddau gymeriad poblogaidd wisg newydd sbon a chafwyd cyfle i'w gweld am y tro cyntaf ar Faes Eisteddfod Genedlaethol yr Urdd, Meirionnydd.

Yn y cefndir, roedd newidiadau gweinyddol ar droed wrth i statws elusennol y Mudiad newid, a gofyn felly ar i Gylchoedd â throsiant blynyddol o dros £1,000 gofrestru fel elusennau unigol. Ond yn y blaendir, y gwaith cyffrous oedd paratoi ar gyfer dathliadau'r Mudiad yn 25 mlwydd oed. Sefydlwyd panel i drefnu cydgordio'r dathlu, ac eto, doedd hi ddim yn amser llaesu dwylo nac edrych yn foddhaus tua'r gorffennol! Lansiwyd fideo newydd ym Mhencadlys S4C, *Welsh – it's your choice*, gyda'r nod o ddenu mwy o rieni nad oedd yn siarad Cymraeg i'r gorlan.

*

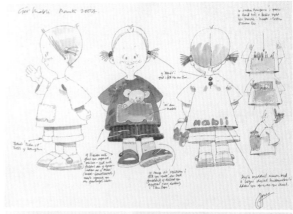

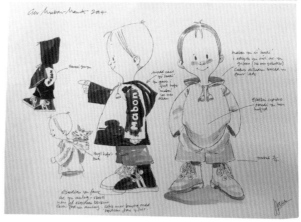

Cynllun gwisg newydd Mabon a Mabli

Yng nghanol y ddegawd hon cawn gip ar sut y mae gwleidyddiaeth wedi effeithio ar waith y Mudiad o dro i dro, wrth i'r Llywodraeth (a oedd bryd hynny i bob pwrpas yn gyfan gwbl yn San Steffan) benderfynu ariannu addysg feithrin i blant pedair oed trwy gyflwyno system o dalebau i rieni. Roedd y Mudiad yn gwrthwynebu'r egwyddor gan weld peryglon gadael darpariaeth gofal plant i'r farchnad agored. Ond os mabwysiadwyd y cynllun ym mis Ebrill 1997, o leiaf ni chafodd hir oes! A waeth beth oedd y penderfyniadau gwleidyddol, ar lawr gwlad roedd anghenion plant yn aros. Yn dilyn cyhoeddi adroddiad *Cri Ar Ran Plant*, a dynnai sylw at y cynnydd mewn achosion o gam-drin plant drwy'r wlad, sefydlwyd partneriaeth rhwng y Mudiad a'r NSPCC gyda'r bwriad o sefydlu seminarau i godi ymwybyddiaeth am y pwnc dirdynnol hwn.

Mabon a Mabli'n chwarae

Pecynnau *Cynllun yr Enfys*

A dyma gyrraedd y pen-blwydd yn 25 oed. Rhyddhawyd 25 o falwnau arian yn ystod wythnos Eisteddfod yr Urdd i nodi dechrau swyddogol cyfnod y dathliadau. Cyn diwedd y cyfnod, roedd cyfrol werthfawr Catrin Stevens wedi ei chyhoeddi yn nodi hanes y Mudiad o 1971 i 1996 ac roedd Dei Tomos a staff Banc Barclays wedi arwain taith feicio noddedig o bencadlys y Mudiad yng Nghaerdydd i dir castell Penrhyn ym Mangor – y man lle'r eginodd y syniad o sefydlu Mudiad Ysgolion Meithrin yn y lle cyntaf nôl yn Eisteddfod 1971. Llwyddodd y daith i godi ymhell dros £26,000. I gloi'r dathliadau, cafwyd cyngerdd, Antur Fawr Martyn ac Wcw, yn Theatr y Grand, Abertawe a'r cwbl yn cael ei ddarlledu ar S4C.

Ond nid dathlu yn unig oedd ar y gweill. Roedd y gwaith ar broffesiynoli'r gweithlu'n mynd rhagddo a chafwyd trafodaethau rhwng y Mudiad a CACHE (Council for Awards in Care, Health and Education) i gael achredu Cwrs Gofal ac Addysg Plant trwy gyfrwng y Gymraeg. Yn yr un modd, bu cydweithio gyda Hybu Iechyd Cymru i gael nawdd i gyhoeddi pamffled a chyfrol ar Iechyd a Diogelwch. Ymgyrch arall oedd yr un i gael hyfforddiant er mwyn sicrhau darpariaeth therapi lleferydd drwy gyfrwng y Gymraeg, ac roedd hon yn mynd i fod yn ymgyrch hir a fynnodd aml gyfarfod â Choleg Brenhinol Therapyddion Lleferydd ac Iaith. At hyn, comisiynwyd Iaith Cyf. i greu Pecynnau *Cynllun yr Enfys* wedi eu seilio ar egwyddorion addysgol cadarn y 'Canlyniadau

Dymunol'. Rhain yw'r egwyddorion cydnabyddedig gan arbenigwyr ym maes plentyndod cynnar sy'n awgrymu pa fath o weithgareddau sydd orau ar gyfer meithrin datblygiad pob plentyn. Trefnwyd hyfforddiant i gyd-fynd â'r pecyn.

A thrwy'r cyfan, roedd rhaid cadw golwg ar y gwaith cenhadu, gyda'r posteri a thaflenni ar y thema 'Dwy Iaith – Dwywaith y Dewis' yn bwerus a thrawiadol.

*

Wedi mynd heibio'r chwarter canrif roedd hi'n edrych yn debygol y byddai datblygiadau gwleidyddol unwaith eto'n effeithio ar waith y Mudiad gyda chyhoeddi'r Papur Gwyn – *Adeiladu Ysgolion Ardderchog Gyda'n Gilydd* 1997 – yn nodi bwriad y Llywodraeth i sicrhau lle mewn sefydliad meithrin i bob plentyn pedair oed. Ac wrth i'r 1990au dynnu at eu terfyn, gwelwyd cyfnod anodd i'r Cylchoedd, gyda pholisi'r Llywodraeth parthed addysg blynyddoedd cynnar yn rhoi llawer mwy o rym ac arian i Awdurdodau Lleol.

Er gwaetha'r sialensau, llwyddodd y Mudiad i ddenu cymhorthdal o £270,000 o Gronfa Datblygu Rhanbarthol Ewrop er mwyn helpu cyflogi swyddogion Ti a Fi Teithiol (roedd y 'Mam a'i Phlentyn' wedi troi yn 'Ti a Fi' erbyn hyn!), a rhoddwyd mwy o bwyslais ar gefnogi'r Cylchoedd gyda chyfansoddiad newydd a chwrs cefnogi arweinyddion. Roedd grant o £30,000 oddi wrth y Swyddfa Gymreig hefyd yn golygu bod modd sefydlu cynllun achredu ansawdd ar gyfer y Cylchoedd.

*

Ym mhob cyfnod, mae darllen adroddiadau blynyddol y Mudiad yn agoriad llygad. O fanylder y gwerthiant cardiau Nadolig a thocynnau raffl,

y bugeilio rhieni a phlant, a'r cynnal a chadw adeiladau i'r gwaith ehangach o ymgyrchu'n genedlaethol, mae rhywun yn gweld y dyfalbarhad a'r cannoedd o bobl sydd wedi bod ynghlwm â'r llwyddiant. Ond dyma ddewis un clawr i gloi'r adran ar y drydedd ddegawd hon, clawr 1994–5. Mae'n dweud cymaint gan awgrymu dyhead y Mudiad i gynrychioli holl blant Cymru; ac fel y gwelwn yn nes ymlaen, mae'r dyhead hwn wedi parhau a chryfhau dros y blynyddoedd.

MUDIAD YSGOLION MEITHRIN
ADRODDIAD BLYNYDDOL 1994-5 ANNUAL REPORT

The 3rd Decade: September 1991–August 2001

The Children's Act of 1989 spurred the professionalisation of the workforce. A course was set up for Cylchoedd leaders in Ammanford Further Education College leading to a qualification recognised by the Social Services. By 1992 Mudiad was part of a consortium which formed assessment centres for a National Vocational Qualification (NVQ) in Childcare and Education.

In the South East a generous grant allowed Mudiad to support children with additional needs. A conference on Therapy was held in Cardiff under the auspices of Mudiad's Special Needs committee, and the emphasis on inclusion in Mudiad's policies continued to grow.

Mudiad's work as a catalyst for the development of Welsh-medium education in general was continuing to have a positive effect too. In Powys, Rhaeadr saw a Welsh-medium primary unit opened, and the secondary school in Builth Wells offered some subjects through the medium of Welsh. In Gwent, three Welsh primary schools were opened.

While the work in Wales was important, so too was the need to reach outwards. £20,000 was raised in an appeal to help nursery education in Lesotho and reciprocal visits were arranged between nursery leaders from Lesotho and Wales so that the countries could learn from each other.

In 1993 J Bryan Jones handed over the leadership to Hywel Jones. By this time a strong Equal Opportunities policy was already in place as well as a plan to give children with additional needs in each county in Wales every opportunity to be included in the Cylchoedd Meithrin's activities.

In 1993–4 'Mabon a Mabli' was established as an independent company to raise funds for Mudiad. Preparations were in hand to ensure that Cylchoedd with an annual turnover of more than £1,000 were registered as separate charities to comply with new rules. And, importantly, celebrations for Mudiad's 25th anniversary were in hand. These included the publication of Catrin Stevens' valuable account of Mudiad's history 1971–1996, and amongst the other events was a bike ride from Cardiff to Bangor which raised over £26,000 and a concert in the Grand Theatre, Swansea which was broadcast on S4C.

Mudiad continued to collaborate with all kinds of other organisations including Health Promotion Wales to produce Welsh-medium materials on Health and Safety, and the Royal College of Speech Therapists to address the demand for therapists who could work with Welsh-speaking children and families.

A new Education Act brought a shift in Government policy and saw the publication of new guidance for Early Years Education. Local Authorities gained much more power and money over this aspect of provision and it was a particularly challenging time for Mudiad.

However, Mudiad kept developing and attracted a grant of £270,000 from the European Regional Development Fund in order to set up a peripatetic 'Ti A Fi' (the new and more inclusive name for 'Mam a'i Phlentyn'), and a grant of £30,000 was forthcoming from the Welsh Office to accredit the quality of the Cylchoedd.

Y Bedwaredd Ddegawd: Medi 2001–Awst 2011

Gyda dyfodiad Cynulliad Cenedlaethol Cymru daeth newidiadau pellach i'r maes, ac yn 2002 gwelwyd Arolygiaeth Gofal a Gwasanaethau Cymdeithasol Cymru (AGGCC) yn datblygu fel rhan o becyn diwygiadau Llywodraeth Cymru i ddiogelu plant a sicrhau ansawdd gofal a phrofiadau yn y sector. Yn sgil hyn, cynyddodd y gofynion ar bwyllgorau gwirfoddol dros nos. Bu'n rhaid i'r Cylchoedd fod yn gofrestredig gyda'r Arolygiaeth, gan ddilyn safonau a rheoliadau cyfreithiol oedd yn gofyn, er enghraifft, am gymarebau penodol

Pencadlys newydd Mudiad Meithrin yn Aberystwyth 2005

plant i oedolion a chyfres o bolisïau a hyfforddiant statudol. Roedd dyddiau'r sesiynau anffurfiol gyda gwirfoddolwyr wedi diflannu. Ond er yr ansicrwydd, ymrwymodd y Mudiad i'r heriau newydd a chofleidio'r newidiadau.

Tu hwnt i ofynion yr Arolygiaeth, roedd codi safonau'n flaenoriaeth gyson, a chyhoeddodd y Mudiad gynllun rhagoriaeth ar gyfer y Cylchoedd, gyda Chylch Nant Lleucu y cyntaf i dderbyn tystysgrif Cylch Rhagorol. Roedd hi hefyd yn amser arbrofi, a sefydlwyd math newydd o ddarpariaeth ym Mhontyclun, sef clwb Ti a Fi ar ddydd Sadwrn ar gyfer rhieni oedd yn gweithio yn ystod yr wythnos. Ond nid dyna ddiwedd y blaengaredd o bell ffordd. Ar ddechrau'r ddegawd aed ati i ehangu'r ddarpariaeth draddodiadol drwy chwarae rhan yn y gwaith o sefydlu Clybiau Plant Cymru; ac yna, yn 2005, gan ddefnyddio nawdd gan Lywodraeth Cymru ar gyfer

adeiladau symudol, archebwyd pum adeilad gyda'r nod o'u rhoi i bum Cylch Meithrin oedd mewn perygl o golli eu lleoliadau, sef Llandrindod, Llanrhystud, Cei Newydd, Glanwydden a Threherbert.

*

Bellach, roedd dyddiau prynu'r Amstrad cyntaf yn teimlo fel oes yn ôl, ac roedd hi'n bryd sefydlu safle ar y we fyd-eang i ddarparu gwybodaeth am wasanaethau'r Mudiad a chodi proffil nid yn unig gartref ond yn rhyngwladol hefyd.

A thra bo'r ffenest siop yn datblygu, felly hefyd y nwyddau ar y stondinau. Crëwyd adnoddau cardiau fflach yr wyddor, datblygwyd canllawiau cyhoeddusrwydd ar gyfer swyddogion y Mudiad a rhyddhawyd pecynnau o bob math ar gyfer arweinyddion. Gyda chymorth Bwrdd yr Iaith Gymraeg, cytunwyd ar strategaeth dair blynedd ac

Y diweddar Ray Gravell yn agor parc chwarae'r Mudiad yn
Eisteddfod Genedlaethol 2005

ariannwyd swyddi'r Swyddog Nawdd Cenedlaethol a'r
Dirprwy Brif Weithredwr. A thros y blynyddoedd, mae
adroddiadau'r Mudiad yn nodi gyda gwerthfawrogiad
gefnogaeth Bwrdd yr Iaith a'i staff, megis John Walter
Jones a Meirion Prys Jones.

Drwy'r cyfan, roedd rhaid dal ati gyda'r gwaith cenhadu
ac i'r diben hwn cyhoeddwyd llyfrynnau *Croeso i'r Cylch Ti
a Fi* gyda nawdd gan HSBC. Ond nid at y banc yn unig
y trodd y Mudiad am gymorth ariannol. Ar y cyd gyda
Childline Cymru, trodd y cefnogwyr unwaith eto at y
cyfrwyau a'r pedalau gyda chynllun noddi cenedlaethol
Ar dy Feic.

Roedd y Llywodraeth eisoes wedi cytuno i ariannu
swydd Cyfarwyddwr Hyfforddi i'r Mudiad, ond daeth
arian hefyd i greu tîm o Swyddogion Maes a fyddai'n
sefydlu a rhedeg cylchoedd Ti a Fi. At hyn, cafwyd
grant sylweddol gan Fwrdd yr Iaith Gymraeg i ddarparu

swyddi Cydlynyddion a alluogodd y Mudiad i eiriol dros
fuddiannau'r Cylchoedd ym mhob Awdurod. Daeth
arian hefyd o gyfeiriadau gwahanol, gydag adroddiad
blynyddol 2002–3, er enghraifft, yn nodi ennill grant o
Gronfa Gymunedol y Loteri am £59,270 i ddatblygu
CD Rom ar ddiogelwch yn y cartref, ar y cyd â ROSPA
(Royal Society for the Prevention of Accidents) a
chwmni meddalwedd B-DAG.

Ac os oedd derbyn arian yn bwysig, felly hefyd oedd ei
roi, ac mae cofnod yn adroddiad 2002–3 am godi swm o
£20,000 ar gyfer y ddwy hosbis i blant, Tŷ Hafan a Thŷ
Gobaith, drwy apêl genedlaethol a lansiwyd gan Caryl
Parry Jones ac Arfon Haines Davies yn Eisteddfod yr
Urdd, Caerdydd, 2002.

*

Bu Awst 2005 yn fis mawr i'r Mudiad o ran
cyhoeddusrwydd. Meddiannodd Pasiant Meithrin
brif lwyfan yr Eisteddfod Genedlaethol am yr eildro,
agorodd Ray Gravell, gyda nawdd cwmni WRW, barc
chwarae ar faes y Brifwyl, a symudodd prif swyddfa'r

Plant Cylch Meithrin Treganna yn mwynhau cerddoriaeth

Mudiad i Aberystwyth. Ac roedd hon yn fwy na swyddfa. Roedd hi hefyd yn Ganolfan Integredig, sef canolfan a fyddai'n cyfuno swyddfeydd i staff y Mudiad, Meithrinfa Dydd, Cylch Meithrin a gwasanaethau a chefnogaeth ychwanegol i rieni.

Ond er bod Aberystwyth wedi ei sefydlu yn brifddinas y Mudiad, nid ar ganoli yr oedd y nod. Roedd y broses o berchnogi adeiladau cymwys, a gychwynwyd gyda phrynu swyddfa ranbarthol y De-ddwyrain ym Mhontprennau, Caerdydd, yn parhau. Roedd cynlluniau ar y gweill i ddod o hyd i ganolfan addas ar gyfer y Gogledd-ddwyrain, ac ar yr un pryd roedd y broses o sicrhau cyllid ar gyfer ail Ganolfan Integredig y Mudiad yn Llangefni hefyd ar waith. Byddai'r ganolfan hon, fel yr un yn Aberystwyth, yn adeilad newydd sbon. Denodd Meithrinfa Llangefni sylw cenedlaethol wedi i'r ddau Fonwysyn, Hywel Gwynfryn a Nia Roberts, a lenwai donfeddi'r bore ar Radio Cymru â'u 'Rhaglen Hywel a Nia' lansio cystadleuaeth i'w henwi. Yn dilyn hyn mabwysiadwyd yr enw 'Meithrinfa Medra' arni, ac erbyn mis Hydref 2008 agorwyd y Ganolfan Integredig yn y dref gan gwmpasu Cylch Meithrin Stryd y Bont, Meithrinfa Medra a Swyddfa'r Mudiad yn y Gogledd-orllewin.

*

O ganol y ddegawd roedd datblygiadau technolegol hefyd wedi dechrau gweddnewid dull gweithredu'r Mudiad. Cafodd pob Swyddog Datblygu a Chydlynydd liniadur a ffôn. Ac wrth ysgrifennu'r cofnod hwn yng nghysgod Covid-19, mae'n werth nodi blaengaredd y Mudiad yn sefydlu patrwm o gynnal rhai pwyllgorau cenedlaethol trwy gyfundrefn fideo-gynadledda ymhell cyn bod sôn am na Zoom na Choronafeirws. O edrych ar ehangder tiriogaeth y Mudiad, hawdd deall yr ymgais gynnar hon gan y byddai'n arbed oriau maith o amser teithio a phunnoedd lawer o danwydd.

Jane Davidson A.C. yn agor Swyddfa Aberystwyth yn swyddogol gyda'r Cadeirydd Rhianwen Huws Roberts

Gydag ymestyn y cyfundrefnau cyfathrebu a chasglu data electronig a chydag ehangu'r fewnrwyd, roedd modd i bob Cylch yng Nghymru gael mynediad at nifer o adnoddau a gwasanaethau, a modd hefyd iddynt hysbysebu'r gwasanaethau drwy eu gwefan eu hunain. O ganlyniad i arweiniad brwdfrydig Dona Lewis (a ddaeth yn Ddirprwy Brif Weithredwr maes o law), roedd casglu'r data yn rhan bwysig o waith datblygu'r Mudiad gyda'r deunydd yn gallu cael ei ddefnyddio er mwyn rhagweld y galw am ddilyniant addysg Gymraeg ymhob sir.

*

Er bod arolwg Bwrdd yr Iaith Gymraeg wedi cyflwyno adroddiad hynod o ganmoliaethus i'r Mudiad a'i waith, roedd yr awch i wella a datblygu mor fyw ag erioed. Mae adroddiad 2006–7 yn cofnodi ymweliadau'r Uwch Swyddogion â chwe gwlad dramor: Denmarc, yr Eidal, Seland Newydd, y Ffindir, Canada a Gwlad y Basg i ddysgu am ddarpariaeth a gweithdrefnau blynyddoedd cynnar mewn gwledydd eraill.

Yn eu tro, roedd yr ymweliadau tramor yn esgor ar syniadau newydd, ac un awgrym a wnaed yn sgil yr ymweliadau oedd y dylid cynyddu ymwybyddiaeth plant am eu treftadaeth a thraddodiadau trwy gyfrwng hwiangerddi, storïau, a chaneuon traddodiadol. Syniad a ddaeth o Wlad y Basg oedd y dylid cynllunio cymeriad newydd i'r Mudiad a'i ddefnyddio i arwain y gwaith o gyflwyno'r iaith Gymraeg i'r plant. Fel y gwelwn yn nes ymlaen, canlyniad yr ysbrydoliaeth hon oedd Dewin a Doti a symbylwyd gan y cymeriad hoffus Basgaidd, Argitxo.

A thrwy'r ddegawd, gwelwyd yr arbrofi'n parhau. Yn 2008, ar faes Eisteddfod Genedlaethol yr Urdd yn Sir Conwy gyrrwyd rhaglen gweithgareddau dyddiol stondin y Mudiad i ffonau symudol pawb oedd ar y maes trwy system Bluetooth; ac yn yr un Ŵyl lansiwyd gwefan newydd y Mudiad. Wedyn, ar faes yr Eisteddfod Genedlaethol yng Nghaerdydd yr un flwyddyn, lansiwyd DVD *Gweithredu'r Cyfnod Sylfaen* fel rhan o waith Cam wrth Gam, mewn blwyddyn lle nodwyd bod y prosiect wedi ennill y marciau uchaf posib gan gydlynydd canolfannau CACHE am dair blynedd yn olynol. Darpariaeth hyfforddi a chymhwyso dan adain y Mudiad oedd ac yw Cam wrth Gam, ond, rhag dryswch, dylid nodi bod yr enw erbyn heddiw'n cyfeirio at raglen hyfforddiant galwedigaethol a ddarperir yn benodol mewn ysgolion uwchradd, ac mai'r enw ar y rhaglen ehangach yw Cynllun Hyfforddi Cenedlaethol.

*

Byddai'n werth oedi am eiliad fan hyn i edrych yn fanylach ar ddatblygiadau syfrdanol y bedwaredd ddegawd hon o ran **hyfforddiant**, cyn troi i edrych ar dair agwedd nodedig arall o waith y Mudiad yn yr un cyfnod, sef **cynhwysiant**, **ymchwil** a **marchnata**.

Hyfforddiant

Roedd criw cyntaf y Cwrs Diploma ar gyfer Arweinydd Cylch Meithrin wedi derbyn achrediad gan CACHE yn 1998–9, a'r gobaith oedd y byddai'r cwrs yn cael ei gynnig trwy Gymru gyfan maes o law. Erbyn 2001–2, nid yn unig yr oedd modd astudio ar gyfer y Diploma yng Ngholeg Pontypridd, Coleg Sir Gâr a Choleg Menai, ond hefyd roedd y Diploma Lefel 3 CACHE mewn Gofal ac Addysg Blynyddoedd Cynnar wedi ei achredu a'i osod ar y Fframwaith Cymwysterau Cenedlaethol.

Yna, ar ganol y ddegawd, lluniwyd cwrs Cymraeg Meithrin i ymgeiswyr lle roedd angen cadarnhau eu sgiliau Cymraeg a chynllun ar gyfer rhieni a'u plant oedd am ymarfer eu Cymraeg mewn Cylchoedd Ti a Fi. Rôl allweddol yn y cyd-destun yma oedd gwaith Cyfarwyddwr Iaith y Mudiad yn cefnogi'r staff, yn enwedig y rhai oedd â'r Gymraeg yn ail iaith iddynt ac mewn ardaloedd â llai o ddwyster o siaradwyr Cymraeg.

Dyfeisiwyd hefyd gynllun pwysig ar gyfer hyfforddi 300 o ymarferwyr. Fe'i ariannwyd gan Lywodraeth Cymru a'i weinyddu gan staff Cwmni Cam wrth Gam yn

Gwobrwyo tîm o aseswyr newydd i'r Cynllun Hyfforddi Cenedlaethol Cam wrth Gam yn 2005

Seremoni Wobrwyo myfyrwyr Cam wrth Gam

Aberystwyth, sef un o is-gwmnïau'r Mudiad. Aeth y gwaith hwn o nerth i nerth gydag ail gytundeb yn cael ei sicrhau, ac erbyn diwedd hwnnw roedd y cynllun Cam wrth Gam wedi hyfforddi 564 o ymgeiswyr hyd at lefelau 2, 3 a 4.

Prosiect hyfforddi arall gwerth sôn amdano yw'r un a ddaeth yn sgil estyniad o ddwy flynedd i nawdd Iaith Pawb, gyda chytundeb i hyfforddi 300 o ymgeiswyr ychwanegol i Lefel 3 mewn Gofal, Dysgu a Datblygiad Plant. At hyn sefydlwyd peilot bychan gydag wyth ymarferwr i gynnig cymhwyster Lefel 4. Dangoswyd diddordeb mawr yn hwn, ac ymhen dim, tyfodd yr 8 yn 18.

Ac nid yn y colegau yn unig yr oedd yr hyfforddiant ar waith. Roedd disgyblion Blwyddyn 12 yr ysgolion uwchradd bellach yn gallu dilyn Tystysgrif CACHE mewn Gofal ac Addysg Blynyddoedd Cynnar cyfrwng Cymraeg. Erbyn 2008 roedd disgyblion mewn 17 ysgol uwchradd yn cael eu hyfforddi drwy gyfundrefnau cynllun ysgolion y Mudiad.

Mewn datblygiad gwahanol ond cysylltiedig, bu'r Mudiad yn llwyddiannus gyda chais i Lywodraeth Cymru am gefnogaeth i gyflawni dau nod newydd drwy eu gwaith yn yr ysgolion. Y nod cyntaf oedd llunio cwrs Gofal ac Addysg y Blynyddoedd Cynnar ar Lefel 1 fel cwrs blasu ar gyfer disgyblion Blynyddoedd 10 ac 11 mewn ysgolion uwchradd Cymraeg. Yr ail nod oedd cynnig hyfforddiant ar Lefel 2 o dan gynllun Genesis ar gyfer pobl ifanc mewn ardaloedd difreintiedig.

Tu hwnt i'r cyfundrefnau ffurfiol fel yr ysgolion a'r colegau wedyn, roedd gwaith hyfforddi pellach yn mynd rhagddo. Ar ddechrau'r ddegawd cafwyd nawdd gan yr Adran Hybu Iechyd er mwyn gweithredu cynllun ar sgiliau magu plant, o dan y teitl bachog *Pwy faga blant?* Lansiwyd y pecyn gan y Gweinidog Iechyd, Jane

Lansio Cynllun Hyfforddi Anhwylderau Spectrwm Awtistiaeth gyda Dafydd Wigley

Tanni Grey-Thompson yn darllen y llyfr Odl-Dodl Pobl i blant Cylch Meithrin Salem yng Nghaerdydd

Hutt, gyda chymorth y llais gorau o blith Llywyddion Anrhydeddus y Mudiad mae'n siŵr, sef neb llai na Bryn Terfel. A sôn am gerddoriaeth, gwelwyd agwedd newydd ar y ddarpariaeth hyfforddi yn 2005–6 drwy gyfle a ddaeth yn sgil grant o Gronfa Plant Mewn Angen i gynnal cyfres o weithdai Therapi Cerdd.

Sefydlwyd hefyd banel Mathemateg Meithrin er mwyn llunio hyfforddiant ar sut i gyflwyno Mathemateg yn y Cylchoedd ac argraffwyd llyfr darllen a rhifo newydd, *Pump Tedi Prysur*. Yna, o ran datblygu sgiliau iaith y plant, cyhoeddodd yr is-bwyllgor Ansawdd a Hyfforddiant ganllawiau ar gyfer creu a defnyddio Basged Trysor, sef dull o hyrwyddo dysgu iaith a llythrennedd yn y Cylchoedd.

Un agwedd bwysig arall ar hyfforddiant gan y Mudiad oedd y cynllun a lansiwyd yn Eisteddfod Genedlaethol Sir y Fflint 2007, sef Cynllun Hyfforddi Anhwylderau Sbectrwm Awtistiaeth, a hynny ym mhresenoldeb Dafydd Wigley, Llywydd Awtistiaeth Cymru. Daw hyn â ni at waith y Mudiad ar **gynhwysiant** yn y cyfnod.

Cynhwysiant

Drwy gynnydd yng nghyllid y Mudiad gan Lywodraeth Cymru, penderfynwyd penodi Cyfarwyddwr Cynhwysiant. Gan adeiladu ar waith y Cynlluniau Cyfeirio, aed ati i sefydlu partneriaethau cryf gyda mudiadau arbenigol yn y maes. Cynhaliwyd, er enghraifft, hyfforddiant asthma mewn partneriaeth ag Asthma Cymru a sefydlwyd partneriaethau gyda chyrff fel Cymdeithas SMIRA (Selective Mutism Information and Research Association) a Chymdeithas Genedlaethol Plant Byddar. Aed ati i gyfieithu llyfryn *Deaf-Friendly Nurseries and Pre-schools* i'r Gymraeg, a llyfryn arall a ddosbarthwyd i bob Cylch oedd *Odl-Dodl Pobl*, sef stori i hybu'r egwyddor o gynhwysiant mewn ffordd syml a naturiol. Wedyn, mewn partneriaeth gyda'r Meningitis Trust dosbarthwyd hefyd i bob Cylch becynnau gwybodaeth *Deall Llid yr Ymennydd - Canllawiau ar gyfer gweithwyr proffesiynol gyda'r blynyddoedd cynnar*.

Yn adroddiad 2006–7, sonnir am y nawdd a ddaeth o Gronfa Plant Mewn Angen i hyfforddi staff y Cylchoedd ar sut i weithio gyda phlant ag Anhwylderau

Sbectrwm Awtistig a nodir hefyd y cylchlythyr *Cyswllt* a gynhyrchwyd er mwyn trafod amrediad eang o faterion yn ymwneud ag anghenion dysgu ychwanegol.

Wedi cydweithio i lansio adain Gymraeg i'r Gymdeithas Mudandod Dethol, bu trafodaethau gyda Merched y Wawr er mwyn gweld a oedd modd cydweithio ar brosiect i hybu gwell dealltwriaeth o'r cyflwr hwn trwy gyfieithu llyfr *I'm Shy* gan Karen Bryant Mole i'r Gymraeg. Erbyn 2010–11 roedd pwyllgor Ceredigion Merched y Wawr wedi ariannu'r cyfieithiad a sicrhau bod copi'n cael ei ddosbarthu i holl Gylchoedd Cymru. Llyfrau eraill ar y rhestr gyfieithu oedd rhai o gynnyrch amlsynhwyraidd y cwmni Bag Books.

Ymchwil

Y trydydd maes y dylid bwrw golwg benodol arno yn y ddegawd hon yw **ymchwil**. Roedd y Mudiad wedi profi gwerth cael tystiolaeth academaidd o'i effeithiolrwydd ers dyddiau adroddiad Dr Felicity Roberts a'r Athro Jac L Williams yn 1968. Gyda mwy o gefnogaeth i'r Cylchoedd yn ei le, erbyn 2000–01 roedd hi'n bryd comisiynu darn arall o ymchwil academaidd eto ar ddatblygiad ieithyddol plant yn y Cylchoedd Meithrin, y tro hwn, dan arolygaeth yr Athro Colin Baker a'r ymchwilydd Elen Lloyd Roberts o Brifysgol Bangor. Daeth canlyniadau'r ymchwil â phrawf pellach o effeithiolrwydd dulliau'r Mudiad a dyma hwb aruthrol arall i'r ymdrech. Bachwyd ar gyfleoedd i rannu'r canlyniadau mor eang â phosib, ac ar ddiwedd Ionawr 2004 yn y Senedd ym Mae Caerdydd lansiwyd yr adroddiad *Datblygiad ieithyddol cyn ysgol: effaith gwaith Mudiad Ysgolion Meithrin*, a manteisiwyd ar y cyfle i gyflwyno'r CD *Abersaff* am bwysigrwydd diogelwch yn y Cylch ac yn y cartref i Jane Davidson, y Gweinidog Dros Addysg a Dysgu Gydol Oes.

Ond nid dyma unig ymchwil y ddegawd hon; cynhaliwyd trafodaethau eto â'r Athro Colin Baker a hefyd Dr Tina Hickey o Brifysgol Dulyn ynglŷn â'r posibilrwydd o astudio effaith mewnlifiad i'r Cylchoedd Meithrin ar ddatblygiad iaith gyntaf plant o gartrefi Cymraeg. Yn adroddiad blynyddol 2010–11, nodir bod Dr Tina Hickey a Dr Gwyn Lewis wedi adrodd yn ôl ar ganlyniadau'r ymchwil hwn, ac erbyn 2014 gwelir cyhoeddi astudiaeth yn yr *International Journal of Bilingual Education and Bilingualism* dan y teitl 'How deep is your immersion? Policy and practice in Welsh-medium preschools with children from different language backgrounds'.

Ymchwil arloesol arall oedd prosiect Chwarae Mewn Unrhyw Iaith a arweinwyd gan Yr Athro Wendy Keay-Bright o Brifysgol Met Caerdydd. Bu Cylch Meithrin Aberdâr yn cymryd rhan yn hwn, a chraidd y gwaith oedd edrych ar blant ar y sbectrwm awtistig a'r modd y gellir defnyddio adnoddau electronig er mwyn cynnwys pob plentyn mewn gweithgareddau rhyngweithiol.

Marchnata

Yr olaf o'r meysydd penodol i ni eu hystyried yn y ddegawd hon yw **marchnata**. Roedd tynnu sylw at fodolaeth a llwyddiant y Mudiad wrth reswm yn rhan bwysig o'r gwaith, ac yn hanner cyntaf y bedwaredd ddegawd cynhaliwyd ymgyrch farchnata genedlaethol ac egnïol gyda chymorth Bwrdd yr Iaith Gymraeg. Defnyddiwyd sawl cyfrwng, o hysbysebion ar y teledu i gefn bysiau, o sinemâu a phapurau newydd i wefan y Mudiad ei hun.

Hysbyseb ar gefn bysiau Cymru

Lansio Dewin yn Eisteddfod Genedlaethol Y Bala 2009

Ar ganol y ddegawd, penodwyd Cyfarwyddwr Marchnata ac aethpwyd ati i gysoni delwedd gorfforaethol y Mudiad, gan ddylunio taflenni gwybodaeth am y Mudiad ac am y Cynllun Hyfforddi Cenedlaethol. Unwaith eto, trodd y Mudiad i'r priffyrdd a'r caeau i ledaenu ei neges, y tro yma gyda'r geiriau bachog 'Dechrau'r daith at ddwy iaith' yn gwibio drwy Gymru ar gefn bysiau.

O ran ennyn cyhoeddusrwydd, roedd dyfnhau'r berthynas gydag S4C yn bwysig a llwyddwyd i sicrhau bod siop Mabon a Mabli yn rhan o daith Groto Nadolig y Sianel. Wedyn, yn yr Eisteddfod Genedlaethol yn Abertawe 2006, daeth un o gymeriadau eraill y sianel, Jac y Jwc, i lansio cynnyrch a ddatblygwyd ar y cyd â Twf (y prosiect i annog rhieni newydd sbon i fagu eu plant yn Gymraeg), sef cerdyn llongyfarch babi newydd. Yn yr un flwyddyn, draw ar faes arall, maes y Sioe Frenhinol, Llanelwedd, cydweithiwyd â Chlybiau Ffermwyr Ifanc Cymru i drefnu perfformiad gan Martyn Geraint ar lwyfan y Ffermwyr Ifanc.

Ehangodd teulu'r Mudiad yn sylweddol ar ddiwedd y bedwaredd ddegawd hon gyda chwmni Cube Interactive yn dod â Dewin i'r byd. Cymeriad uniaith Gymraeg yw Dewin sy'n cymryd diddordeb ysol mewn sicrhau bod cymaint â phosibl o blant bach Cymru yn siarad Cymraeg mor aml â phosibl. I'w helpu gyda'r dasg mae ganddo ffrind, sef Doti'r ci. Derbyniodd pob Cylch byped mawr o Dewin, tegan meddal Doti a het enfawr Dewin, a daeth y cymeriad yn fyw mewn dau lyfr gan Meinir Lynch gyda chaneuon a nifer o nwyddau yn helpu aelodau'r Mudiad i ddod i adnabod y cymeriad yn well. Gwelwyd yr 'arwr iaith' hwn am y tro cyntaf yn Eisteddfod Genedlaethol Meirion a'r Cyffiniau yn 2009 yn glanio gyda'r Balalŵn (pa well enw â'r eisteddfod ar gyrion y Bala?!) i ganiatáu i Dewin a Doti deithio o fan i fan.

Mae manteisio ar feysydd yr Eisteddfod Genedlaethol, Eisteddfod Genedlaethol yr Urdd a'r Sioe yn Llanelwedd, wedi bod yn rhan annatod o waith hyrwyddo'r Mudiad ar hyd y degawdau, ac yn 2009, yn Eisteddfod y Balalŵn(!), croesawyd yr athletwraig Tanni Grey-Thompson i ddarllen stori amlsynhwyraidd *Y Dywysoges Fach*. Cyn hynny, yn Eisteddfod Genedlaethol yr Urdd yng Nghaerdydd yn yr un flwyddyn, daeth pasiant y Mudiad i brif lwyfan yr Ŵyl am y tro cyntaf, gyda pherfformiad gan Gylchoedd Sir Caerffili, ac yn Sioe Llanelwedd wedyn, cynhaliwyd parc chwarae i'r plant ieuengaf am y tro cyntaf. A'r cwbl yn cynnig ffyrdd effeithiol o farchnata cenhadaeth y Mudiad.

Cerdyn llongyfarch babi newydd

The 4th Decade: September 2001– August 2011

With the emergence of devolved government came changes, including the establishment in 2002 of the Care and Social Services Inspectorate Wales. Cylchoedd had to register with the Inspectorate and adhere to its legally binding standards and rules.

In 2005 the Head Office moved to Aberystwyth to an integrated centre consisting of staff offices, a day nursery, a Cylch Meithrin and facilities to support parents.

Technical developments changed the way Mudiad worked. The development officers and co-ordinators were given a mobile phone and laptop, and on-line meetings were arranged to save time and travel expense long before anyone had heard of Zoom which has become so familiar to us in these COVID-19 days.

Although the Welsh Language Board's report was generous in its praise, Mudiad's appetite for improvement was undiminished. In 2006–7, senior officers visited six countries, visits which inspired new ideas such as the development of Dewin and Doti. These two characters would introduce Cylchoedd children to their heritage through nursery rhymes and traditional tales and songs.

Four strands of activity became very clear in this period: training; inclusion; research and marketing.

Training

1998–9 saw the first cohort of Mudiad leaders receive their accreditation from CACHE. By 2001–2 the course was available in three colleges as well as a Level 3 Diploma in Early Years Education and Care. Other training routes included a 2-year course at Trinity College, Carmarthen (now University of Wales Trinity Saint David, UWTSD), courses for pupils in Years 10, 11 and 12, and a variety of workshops and guides organised on a range of topics e.g., Music Therapy, Mathematics, the Autism Spectrum and Welsh-language courses.

Inclusion

Following increased funding from the Welsh Government, Mudiad appointed a Director for Inclusion, and partnerships were developed with bodies such as Selective Mutism Information and Research Association, and the National Society for Deaf Children. Publications included the translation of *I'm Shy* by Karen Bryant Mole to increase understanding of selective mutism, funded by Merched y Wawr Ceredigion. The *Cyswllt* circular was distributed to keep Mudiad staff informed about a variety of developments and training opportunities regarding provision for children with additional needs.

Research

Of the research projects commissioned in this period, the most widely disseminated results perhaps were those of the study from Bangor University which provided further evidence of the effectiveness of Mudiad's methods of developing children's language skills.

Tegan meddai Doti

Marketing

Raising awareness of Mudiad's provision has always been an important aspect of its work. With the appointment of a Marketing Director, this gained further stimulus. With support from the Welsh Language Board, all kinds of media were used to advertise Mudiad, from television and cinema screens to newspapers and buses, as well as Mudiad's own website.

Mudiad's logo was streamlined and the slogan 'Dechrau'r daith at ddwy iaith/Bilingualism – the journey starts here' was widely used. Collaboration with S4C was important and the Mabon and Mabli shop featured in the channel's Christmas tour. And as always, advantage was taken of the National and Urdd Eisteddfodau and the Royal Welsh Show to heighten Mudiad's profile.

Y Bumed Ddegawd: Medi 2011 hyd heddiw

Er nad oedd Cyfrifiad 2011 yn newyddion da (gyda chwymp o 1.5% yn nifer y siaradwyr Cymraeg o 20.5% yn 2001 i 19.05%), o leiaf roedd gweld y niferoedd o blith plant tair a phedair oed yn codi o bron i 5% (o 18.8% i 23.6%) yn destun llawenydd bach.

A chyda dathliadau'r deugain mlynedd ar waith roedd yr adnewyddu'n parhau. Newidiwyd enw'r mudiad o 'Mudiad Ysgolion Meithrin' i 'Mudiad Meithrin' a lansiwyd logo newydd yn y brif swyddfa ym mis Ebrill 2011 yng nghwmni Angharad Mair, y Brodyr Gregory a phlant Cylch Meithrin Aberystwyth.

Roedd blynyddoedd cyntaf y bumed ddegawd yn rhai o newid pellach. Gyda'r cyhoeddiad bod Bwrdd yr Iaith Gymraeg yn mynd i gael ei ddiddymu, daeth y Mudiad o dan adain Uned y Gymraeg mewn Addysg Llywodraeth Cymru o Ebrill 2012, a thrwy'r cyfan, parhau wnaeth twf y Mudiad. Erbyn y cyfnod hwn, roedd ganddo 1,026 o Gylchoedd Ti a Fi a Chylchoedd Meithrin, ac am y tro cyntaf roedd yn cyflogi arweinyddion Ti a Fi teithiol.

Lansio logo newydd Mudiad Meithrin gydag Angharad Mair a'r Brodyr Gregory

Cylch y Tywyn – y Cylch Sefydlu a Symud cyntaf

*

Cyrhaeddwyd carreg filltir nodedig yn y ddegawd hon yn 2014, pan gyhoeddodd Hywel Jones, y Prif Weithredwr, ei fwriad i ymddeol ddiwedd Awst wedi un mlynedd ar hugain o wasanaeth diwyd. Penodwyd Dr Gwenllian Lansdown Davies i gymryd ei le ac o dan ei harweiniddiaeth hi daliodd y datblygu i fynd o nerth i nerth.

Rhwng 2013–4 a 2014–15 gwelwyd y gwasanaeth a gynigir gan y Cylchoedd yn ymestyn 30% i gynnwys clybiau brecwast, cinio ac ar ôl ysgol. Dechreuodd y Mudiad hefyd drafod gydag ysgolion er mwyn cynnig 'gofal cofleidiol', sef gofal sy'n gallu cwmpasu anghenion plant y tu hwnt i oriau a darpariaeth arferol. Dyma hefyd y cyfnod a welodd y Mudiad yn dod yn aelod o Lys y Coleg Cymraeg Cenedlaethol, cydnabyddiaeth arall o'i ran yn nhaith datblygiad yr unigolyn ifanc a hefyd yn natblygiad y ddarpariaeth cyfrwng Cymraeg. Ac er gwaethaf naws hudol y teitl, gwaith caib a rhaw nid lledrith oedd y tu ôl i'r ddogfen *Dewiniaith* a gyflwynwyd yn 2015 i amlinellu gweledigaeth y Mudiad ar gyfer y deng mlynedd nesaf,

Iola Jones, Pennaeth Marchnata'r Mudiad, a Gwenllian Lansdown Davies ar eu ffordd i lansio Dewiniaith

gweledigaeth sy'n parchu amcanion Deddf Llesiant Cenedlaethau'r Dyfodol.

Mae'r ddogfen hon yn sail i'r Mudiad allu gwireddu nifer o brosiectau newydd, er enghraifft, y cynllun Sefydlu a Symud sydd â'r nod o agor Cylchoedd Cyfansawdd newydd, sef darpariaeth Cylch Ti a Fi a Chylch Meithrin. Mewn cyfnod o gwta ddwy flynedd, roedd y cynllun yn dwyn ffrwyth gydag 19 Cylch Meithrin newydd wedi eu hagor erbyn 2018–19.

*

Wrth edrych yn ôl dros y ddegawd ddiwethaf hon a chael cipolwg tu cefn i'r llen, gwelir y bu ar ei hyd yn un o ddatblygu'r trefniadau mewnol lawn cymaint â'r allanol. Roedd gofynion a chyfrifoldebau'r gwirfoddolwyr yn trymhau ac wrth gydnabod hyn, lluniwyd ystod o ddulliau i'w cefnogi. Lluniwyd, er enghraifft, becyn *Gwiriad Iechyd* a theclyn Cymorth

Busnes i'r Cylchoedd gyda'r nod o sicrhau bod popeth yn ei le ar gyfer arolygon, ymchwiliadau ac ymweliadau. Dosbarthwyd hefyd e-gylchlythyr at holl ddarparwyr y Mudiad er mwyn hwyluso cysylltiadau, a chynigiwyd am y tro cyntaf linell gymorth arbenigol Adnoddau Dynol yn y pecyn aelodaeth gyda chymorth ac arweiniad ar faterion cyfansoddiadol. Yn wir, enillodd staff Adran Adnoddau Dynol y Mudiad gydnabyddiaeth o'u gwaith wrth i'r Adran gyrraedd y tri uchaf yng ngwobrau Adnoddau Dynol Cenedlaethol Cymru.

Lansiwyd hefyd ganllaw newydd 'arfer da' i arweinwyr Cylchoedd Ti a Fi gyda nifer o sesiynau hyfforddiant taleithiol i gyd-fynd ag ef, a sefydlwyd fforwm staff er mwyn cael cynrychiolaeth o bob tîm. At hyn, ailstrwythurwyd y staff canolog ac adolygwyd y trefniadau democrataidd mewnol gan sefydlu pwyllgor cenedlaethol, Bwrdd Cyfarwyddwyr, o'r newydd.

Yn gorfforaethol wedyn, gwelwyd gwaith dygn tuag at ennill sêl PQASSO (Practical Quality Assurance System for Small Organisations) a sefydlwyd grŵp Gorchwyl a Gorffen o dan adain yr Adran Polisi i weithredu ar ofynion y cynllun ansawdd hwn. Cynhaliwyd holiadur gwasanaeth Mudiad Meithrin a lansiwyd pecyn cynefino newydd ar y wefan agored. Cynhyrchwyd taflen gyffredinol am wasanaethau'r Mudiad, llawlyfr cwmni newydd a ffeiliau *Llyfr Mawr Piws* er mwyn cefnogi pwyllgorau rheoli gwirfoddol.

Yn ogystal â'r gwaith yn cefnogi a chodi safonau gweinyddiaeth y Mudiad, nodwedd amlwg arall y bumed ddegawd yw parhad yr ymdrech i godi safonau ar lawr y Cylchoedd a'r Meithrinfeydd a sicrhau bod y Mudiad yn cyrraedd plant Cymru o bob cefndir. Rhan annatod o hyn fu cynnal **hyfforddiant** pellach gan roi sylw arbennig unwaith eto i ddatblygu **cynhwysiant**. Ond elfen bwysig arall o ran codi safonau yw **dathlu'r cyraeddiadau**. Dyma oedi yn ein cofnod o'r bumed ddegawd felly i edrych ar y tair agwedd hon yn benodol.

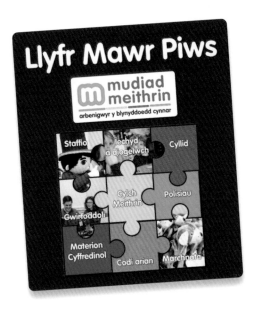

Hyfforddiant

O ran hyfforddi, mae adroddiad cyntaf y ddegawd yn nodi bod Llywodraeth Cymru'n ymestyn y Cynllun Hyfforddi Cenedlaethol am ddwy flynedd ychwanegol, a hefyd yn cyfeirio at brosiect hyfforddi newydd, Canllawiau Galar 'Estyn dy law', ar gyfer staff y Mudiad. Prosiect ar y cyd â Hosbis Plant Tŷ Gobaith a Thîm Galar Sir Wrecsam yw hwn, gyda'r nod o ddarparu cymorth i arweinwyr y blynyddoedd cynnar pan fydd rhaid cwrdd â thristwch marwolaeth plentyn.

Yna, gyda bod trosglwyddo'r Gymraeg yn greiddiol i weithgaredd y Mudiad, dydy hi ddim yn syndod gweld pwyslais cynyddol ar godi hyder staff y Cylchoedd fel siaradwyr yr iaith. Dechreuodd Swyddog Iaith Cenedlaethol y Mudiad yn Ionawr 2010, ac yng Ngorffennaf 2011 yn ystod ail Gynhadledd Blynyddoedd Cynnar y Mudiad ar gampws Prifysgol Aberystwyth rhoddwyd cynlluniau ar y gweill i sicrhau'r ddarpariaeth orau posib i gefnogi staff y Cylchoedd yn hyn o beth. Gwelwyd cynllun peilot mewn saith Awdurdod Lleol i edrych ar ddull hunan-astudio'r Cwrs Iaith Sylfaenol. Cynhaliwyd hefyd gynllun paru Cylchoedd Meithrin er mwyn datblygu hyder staff y Cylchoedd sydd yn ddysgwyr brwdfrydig. Peilot arall o ran hyfforddiant iaith oedd y cynllun trochi Croesi'r Bont, a rhaid peidio ag anghofio'r cynllun arloesol ar y cyd â'r Ganolfan Dysgu Cymraeg Genedlaethol, Clwb Cwtsh. Cwrs oedd hwn ar lefel cyn-fynediad wedi'i anelu'n benodol at rieni a gofalwyr plant ifanc. Erbyn 2018–19 mae cofnod am y cwrs yn cael ei gynnig i dros 800 o unigolion gyda chyfradd gymhwyso o 65%.

Parhau i ddyfnhau wnaeth y berthynas â Merched y Wawr wrth ddatblygu prosiect hyfryd o'r enw Bodo. Ystyr y gair 'Bodo' yw 'Modryb' neu 'Anti' neu 'Bopa'. Roedd y cynllun hwn yn cyfoethogi iaith drwy baru aelodau

Lansiad Clwb Cwtsh gyda Gwenllian Lansdown Davies, Efa Gruffudd Jones, Nia Parry a Lois Elena

Staff Mudiad Meithrin a Camau Bach yn dathlu ennill Sêl PQASSO
yn Swyddfa Aberystwyth 2020

Cerdyn post i hyrwyddo Clwb Cwtsh

Grŵp Cymraeg i Blant Pontypŵl

Lansiad Academi gydag Alwen
Williams BT Cymru a Dona Lewis
Dirprwy Brif Weithredwr y Mudiad

o Ferched y Wawr gyda Chylchoedd Meithrin yn eu hardaloedd lleol i gynnal sesiwn amser stori gyda'r plant.

Yn nes ymlaen yn y ddegawd, cyhoeddwyd Strategaeth Meithrin Miliwn yn Eisteddfod Genedlaethol Ynys Môn 2017, gan bwysleisio awydd a bwriad Mudiad Meithrin i sicrhau bod y Blynyddoedd Cynnar ar flaen y gad yn yr ymdrech i greu miliwn o siaradwyr Cymraeg. O ran datblygu iaith y gweithlu, rhedwyd hefyd y cynllun Erfyn Diagnostic Iaith ar gyfer staff y blynyddoedd cynnar, gan gydweithio eto gyda'r Ganolfan Dysgu Cymraeg Genedlaethol. (Cyfrwng i wirio safon iaith unigolion yw hwn, gyda'r nod o gyfeirio pobl at y lefel gywir ar gwrs Cymraeg gan fod safon iaith Gymraeg cynifer yn dipyn gwell nag y maen nhw'n ei sylweddoli.)

Roedd gwaith hefyd o ran datblygu hyder a sgiliau rhieni. Datblygiad arwyddocaol yn y ddegawd hon oedd dod â'r rhaglen Cymraeg i Blant o dan fantell Mudiad Meithrin yn Ebrill 2016. Roedd pwyslais Cymraeg i Blant ar gynyddu nifer y teuluoedd oedd yn trosglwyddo'r Gymraeg i'w plant. Rhagflaenydd y prosiect oedd y cynllun Twf, a chyda thîm o dros 30 yn gweithio dros Gymru, rhwng Ebrill 2016 a Mawrth 2020 cynhaliwyd 3,747 o sesiynau gyda rhieni newydd. Mae'r rhaglen yn cynnig pob math o weithgareddau dyfeisgar i apelio at rieni, fel ioga babi a thylino babi, a'r cyfan yn creu amodau addas i ddechrau sgwrs am fanteision rhoi'r cyfle dwyieithog i'r genhedlaeth nesaf.

At hyn oll, roedd y cydweithio gyda Chynghorau Sir ac Awdurdodau Lleol yn parhau, gyda phedwar Cyngor Sir yn nhalaith y Gogledd-ddwyrain a'r Canolbarth wedi gweld gwerth yn y cynllun trochi iaith, Croesi'r Bont, ac mewn ariannu swyddog iaith. Mewn partneriaeth gyda'r Ganolfan Dysgu Cymraeg Genedlaethol drachefn, esgorwyd wedyn ar ddau gwrs peilot Cymraeg i'r Teulu i deuluoedd ifanc yn Fflint a Wrecsam. A draw yng Ngheredigion, enillwyd tendr y cynllun Dechrau'n Deg i reoli tri gwasanaeth, sef Cylchoedd Meithrin Aberteifi, Ffrindiau Bach Tegryn a Ffrindiau Bach yr Eos. Cynllun trechu tlodi yw Dechrau'n Deg yn ei hanfod, a thrwy ei ddarparu yn y Gymraeg mae hefyd yn cyfoethogi cyfleoedd iaith y plant.

*

Yn 2012–13 wedyn, lluniwyd cais llwyddiannus am arian ar gyfer Cynllun Hyfforddi Cenedlaethol newydd a chafwyd cyllid o £6 miliwn dros dair blynedd ar gyfer hyfforddi ymarferwyr newydd. At hyn yn 2014–15 ar y cyd â Phrifysgol Cymru y Drindod Dewi Sant, cymhwyswyd gradd BA Astudiaethau Plentyndod Cynnar, gyda Mudiad Meithrin yn chwarae rhan allweddol yn dilysu cymwysterau galwedigaethol y myfyrwyr.

Yn yr un adroddiad, 2014–15, mae cofnod am ddatblygiad allweddol (ac un arall o weledigaethau Dona Lewis) sef lansio Academi, gyda chefnogaeth rhai fel y Prif Weinidog, Carwyn Jones ac Alwen Williams, BT Cymru. Cartref Datblygiad Proffesiynol Parhaus y Mudiad yw Academi gyda'r nod o ddatblygu holl staff a gwirfoddolwyr y Mudiad drwy ddulliau traddodiadol a blaengar ar bob agwedd o'i waith – o faterion ieithyddol, addysgol a gofal i faterion gweinyddol a rheoli.

Bellach, mae cynllun newydd, Prentisiaeth Blynyddoedd Cynnar, wrthi'n cael ei ddatblygu ar y cyd â'r Urdd ac ACT (Associated Community Training Ltd) ac wrth ysgrifennu'r gyfrol hon y nod yw cael 40 o fyfyrwyr newydd mewn prentisiaeth.

Soniwyd eisoes am hyfforddiant i gefnogi'r iaith Gymraeg; dylid nodi y bu sylw'r Mudiad hefyd ar Iaith Arwyddo. Yn 2017–18, drwy weithio gyda Phrifysgol Bangor a Grŵp Llandrillo Menai, cynhaliwyd Dwylo'n Dweud, prosiect am Iaith Arwyddo Prydain (neu BSL, sef British Sign Language), a chyn hynny, yn 2014–15, bu cydweithio hefyd gydag elusen Makaton ar gynnal hyfforddiant i staff. Daw hyn â ni at **gynhwysiant** a gwelwn ddatblygu cynyddol yn y bumed ddegawd hon ar nifer y rhaglenni a phrosiectau sy'n sicrhau bod y Mudiad yn gallu cyrraedd pob plentyn yng Nghymru

Cynhwysiant

Ar ddechrau'r cyfnod dan sylw, 2011–12, cynhaliwyd prosiect ymchwil Cynhwysiant yn y Blynyddoedd Cynnar. Anfonwyd holiadur at bob Cylch Meithrin i gasglu gwybodaeth fanwl ar bob agwedd o gynhwysiant o fewn y ddarpariaeth. Cynhaliwyd grwpiau ffocws er mwyn cywain barn rhieni plant ag anghenion ychwanegol am y gwasanaethau sydd ar gael iddynt. Mae cofnod yn adroddiad 2012–13 am lansiad canlyniad y prosiect

Pecyn Dewch i Ddathlu

Hwiangerdd Arabeg sy'n rhan o'r prosiect Nodau Natur

Rhan o gyhoeddiad sydd mewn wyth iaith

ymchwil o dan y teitl *Cynhwysiant yn y Blynyddoedd Cynnar i Blant ag Anghenion Arbennig* ym mis Gorffennaf yn Nhŷ Hywel, Bae Caerdydd.

Cyn hynny, yn ystod wythnos lwyddiannus eithriadol ar faes Eisteddfod yr Urdd 2011 yn Abertawe gyda siop Mabon a Mabli'n torri pob record o ran gwerthiant, lansiwyd cyfieithiad cwmni Atebol o *It's Okay to Be Different* gan Todd Parr, sef y llyfr *Mae'n Iawn Bod yn Wahanol*.

Yn 2016 rhoddwyd rhaglen hyfforddiant Cylch i Bawb ar waith a oedd yn cynnig arweiniad ar sut i fod yn Gylch Meithrin cynhwysol a chroesawgar. Ddwy flynedd yn ddiweddarach, yn 2018, cyhoeddwyd cyfres o bamffledi gwybodaeth amlieithog i rieni a gofalwyr am ofal plant ac addysg Gymraeg.

Gyda chyhoeddi strategaeth Amrywiaeth a Chydraddoldeb y Mudiad yn 2019, rhoddwyd mwy o strwythur i'r datblygiadau, ac un o'r pethau cyntaf a wnaed oedd lansio cynllun prentisiaethau i unigolion Du, Asiaidd ac o Leiafrifoedd Ethnig. Yn 2020 cyhoeddwyd

gwaith ymchwil ar brofiadau unigolion y cymunedau hyn o ran gofal ac addysg Gymraeg er mwyn cyfrannu at gynllun gweithredu cydraddoldeb hil Llywodraeth Cymru, a phenodwyd Prif Swyddog i arwain yn benodol ar faterion amrywiaeth a chydraddoldeb. Ochr yn ochr â hyn, gwelodd y Mudiad yr angen i greu adnoddau ar gyfer y plant, a lansiwyd pecyn adnoddau Cyfnod Sylfaen *Dewch i Ddathlu* yn ymdrin â phrif grefyddau'r byd, a hefyd brosiect Nodau Natur gyda gweithgareddau wedi eu hysbrydoli gan hwiangerddi Arabeg, Cymraeg, Bengali, Pwyleg ac Wrdw. Roedd y gwaith hwn yn cydweithio gyda cherddorion ac unigolion o gymunedau amrywiol ac yn dod â phrofiadau pwysig a newydd i lawr y Cylch.

Wrth i'r llyfr hwn fynd i'r wasg mae grŵp gorchwyl a gorffen ar waith yn arwain prosiect data i helpu'r Mudiad i adnabod a oes bylchau o ran pa blant sy'n mynychu neu ddim yn mynychu'r Cylchoedd Meithrin, eto gyda golwg ar ddatblygu mwy o amrywiaeth ac ar gynnwys pawb. Ac er gwaetha'r datblygiadau cadarnhaol hyn, barn y Mudiad yw bod llawer mwy o waith i'w wneud.

Dathlu'r cyraeddiadau

Fel y soniwyd, law yn llaw â hyfforddi, mae'r Mudiad yn gwybod gwerth dathlu'r cyraeddiadau, ac yn gwybod bod hyn yn ddull effeithiol o ddangos gwerthfawrogiad ac o godi safonau ar yr un pryd. Disodlwyd cynllun ansawdd y Cylch Rhagorol gyda chynllun y Safonau Serennog sydd ar gyfer Cylchoedd Meithrin, Meithrinfeydd Dydd (sy'n aelodau o Mudiad Meithrin) a Chylchoedd Ti a Fi fel ei gilydd. Cynhaliwyd Seremoni Gwobrau cyntaf y Mudiad yn 2016, ac mae cipolwg ar y categorïau'n ddigon i roi amcan o ystod ac amrywiaeth y gwaith ac o bwysigrwydd pob un elfen fach o ran llwyddiant y cyfanwaith mawr. Ar wahân i wobrwyo'r Cylchoedd Ti a Fi, y Cylchoedd Meithrin a'r Meithrinfeydd Dydd, cydnabyddir hefyd waith yr Arweinyddion, y Cynorthwy-yddion, y Gwirfoddolwyr a'r Pwyllgorau ac agweddau penodol fel defnyddio'r Ardal Tu Allan, Dewin a Doti a gwaith Cynhwysiant. Mae'n werth taro golwg ar wefan y Mudiad i weld dyfeisgarwch enillwyr y gwobrau hyn a chael cip ar Mudiad Meithrin ar ei orau. Cewch hanes Dewin a Doti'n hedfan awyren go iawn a hanes coedwigoedd llawn

Lansio Safonau Serennog, Cylch Meithrin Felinfoel

antur a sut y mae cyflwyno'r plant lleiaf i werthfawrogi'r henoed hynaf yn ein cymdeithas.

Ond daeth cydnabyddiaeth o ran safon gwaith y Mudiad o gyfeiriadau eraill hefyd. Mae adroddiad blynyddol 2016–17 yn nodi sut y derbyniodd 84% o Gylchoedd Meithrin arolwg Estyn 'Da' ar draws Cymru, a Chylch Meithrin Bodffordd, Ynys Môn yn cael sylw penodol yn adroddiad blynyddol Estyn am arfer da. At hyn, yn yr adroddiad blynyddol dilynol (2017–18), nodir bod y mwyafrif o'r Cylchoedd wedi ennill 5* allan o 5* mewn cynlluniau hylendid bwyd.

*

Cyfeiriwyd eisoes at seren arall y ddegawd sef Dewin a'i ffrind Doti, ac er mwyn dathlu'r Mudiad yn cyrraedd y 40 oed yn 2011 cyhoeddwyd llyfr newydd sef *Sypreis Doti*, a chafodd pob Cylch Meithrin a Chylch Ti a Fi gopi am ddim fel anrheg. Cyhoeddwyd *Amser Gwely Dewin* wedyn a'i lansio yn Eisteddfod Genedlaethol Wrecsam (eto yn 2011) a gwelwyd *Doti a'i Ffrindiau* ar S4C drwy gydweithrediad â chwmni teledu Boomerang.

Wedyn, yn 2014–15, cydweithiwyd gyda *Golwg* i gyflwyno Dewin a Doti i'r cylchgrawn plant *Wcw a'i ffrindiau*, ac yn 2017–18, ymhlith deunyddiau newydd y Mudiad a oedd yn cynnwys *Miri Mawr* yr adnodd addas i fabis, cyhoeddwyd ap a llyfrau newydd Dewin a Doti a phyped llaw yn adnodd ychwanegol i'r Cylchoedd Meithrin.

*

Fel ymhob degawd yn hanes y Mudiad, roedd yr angen i godi arian yn y bumed ddegawd hon mor fyw ag erioed, ac un syniad ysbrydoledig a nodir yn adroddiad blynyddol 2015–16 oedd gwahodd mintai o goetsys i lenwi tref Aberystwyth dan faner Prams ar y Prom. Roedd y staff yn deall pwysigrwydd cyfleu'r 'hwyl' sy'n dod gyda pherthyn i'r Mudiad, a syniad arall oedd cynnal Parti Pyjamas. Ond nid unrhyw barti pyjamas!! Hwn fyddai'r parti pyjamas mwyaf erioed, ac yn wir, torrwyd record y byd ym mis Mai 2017 gyda 8,650 o bobl ledled Cymru yn cymryd rhan. Ac nid dyma ddiwedd ar y thema pyjamas. Mewn partneriaeth gyda chwmni Aykroyds, cynhaliwyd cystadleuaeth i blant y Cylchoedd ddylunio pyjamas addas i neb llai na Dewin.

Ond os oedd sôn am byjamas, doedd dim sôn am na chwsg na diogi. Roedd pen-blwydd y Mudiad yn 45 oed yn gyfle i gynnal nifer o ddigwyddiadau gan gynnwys cinio dathlu ac ocsiwn addewidion, ac roedd y gwaith cenhadu yn mynd rhagddo bob gafael, gyda'r Mudiad yn cyrraedd y cyfrif mwyaf poblogaidd yn ystod 'Yr Awr Gymraeg' ar Drydar.

Gweithgareddau nodedig eraill y ddegawd hon oedd cyfansoddi anthem newydd i'r Mudiad gan Carys John o'r enw 'Un Teulu Mawr', a cherdd gan Anni Llŷn, Bardd Plant Cymru, ar y thema … 'pyjamas' (beth arall?!)

A hyd at yr hanner canfed flwyddyn, gwelwn nad oes pall ar y *meithrin*, gydag adroddiad 2018–19 yn cofnodi syniad am gynllun gwirfoddoli Meithrin Gyrfa, ac yna, mewn partneriaeth gyda'r Urdd, gystadleuaeth Meithrin Talent: Talent Meithrin gyda'r nod o ddod o hyd i dalent newydd sy'n gallu diddanu plant ifanc rhwng 2–4 mlwydd oed … a'u rhieni!

Wrth gau ffeil yr adroddiadau blynyddol, a chyrraedd 2019–20 a chyffro Parti Piws degfed pen-blwydd Dewin a Doti, (sef, gyda llaw, parti piws mwya'r byd – lle gwelwyd dros 12,500 o blant a staff yn gwisgo piws ar y diwrnod!) efallai mai gyda'r ffaith hon yw'r lle gorau i orffen y drem yn ôl: sef bod bron 90% o blant y Mudiad yn mynd ymlaen i dderbyn addysg Gymraeg. Dyma'r ganran uchaf erioed yn hanes Mudiad Meithrin. Ond fel y mae englyn Myrddin ap Dafydd ar ddechrau'r llyfr yn ein hatgoffa, mae'r gân 'yn ddiorffen'.

Seremoni Wobrwyo gyntaf y Mudiad yn 2016

Siani Sionc – enillydd 'Meithrin Talent', cystadleuaeth ar y cyd ag Eisteddfod yr Urdd

Dewin a Doti yn ymddangos am y tro cyntaf yng nghylchgrawn WCW a'i Ffrindiau yn 2017

Prams ar y Prom

HEDDIW

Gwelwn felly sut y mae teulu Mudiad Meithrin wedi tyfu, ac erbyn heddiw, o glustfeinio, gellir clywed calon gwasanaethau canolog y Mudiad yn curo'n gyson i egnïo'r twf. O'r timoedd Gweinyddol, Cyllid, Polisi ac Adnoddau Dynol, o'r criw Cyfnod Sylfaen a Chwricwlwm, y TGCh a'r Marchnata, mae'r cyfan yn tynnu gyda'i gilydd yn ysbryd yr arloeswyr cynnar, oherwydd nid ar chwarae bach mae rheoli Cylchoedd Meithrin neu Feithrinfeydd Dydd gyda'r cwbl yn ddarostyngedig i reoliadau a fframweithiau amryw o asiantaethau. Mae arolygiadau bob dwy flynedd gan Arolygaeth Gofal Cymru (AGC) neu arolwg ar y cyd rhwng AGC ac Estyn; mae monitro cyson gan Dechrau'n Deg a llu o dargedau i'w gwireddu gan Athrawon Ymgynghorol Addysg; ac mae'n rhaid cydymffurfio â gofynion diogelu plant, y Cwricwlwm ac â'r Bil Anghenion Dysgu Ychwanegol. Ond er yr holl ofynion sydd ar staff a phwyllgorau, mae'r balchder a'r awydd i wella'n gyson ymhlith yr aelodau yn dyst i'w ffyddlondeb i'r Mudiad.

Y lle gorau o ddigon i weld crynodeb o waith y Mudiad heddiw, a'i weledigaeth ar gyfer y cyfnod nesaf, yw'r wefan: www.meithrin.cymru. Yno cewch bob math o wybodaeth, gan ddysgu, er enghraifft, am *Cwlwm* sef y rhwydwaith y mae'r Mudiad yn ei arwain ac sy'n tynnu ynghyd y pum prif sefydliad gofal plant yng Nghymru: Mudiad Meithrin; Blynyddoedd Cynnar Cymru; Clybiau Plant Cymru; National Day Nurseries Association Cymru a PACEY Cymru (The Professional Association for Childcare and Early Years).

Dewin yn ei byjamas newydd ym Meithrinfa Aykroyds, Y Bala

Yno hefyd cewch ddarllen dogfennau craidd y Mudiad fel y *Nod ac Egwyddorion*, *Maniffesto'r Mudiad* a *Dogfen Dewiniaith* sy'n amlinellu'r cynlluniau hyd at 2025.

*

Dechreuodd ein taith drwy'r pum degawd gyda sylw am 'gyfrinach' y Mudiad sef ei allu i adnewyddu ei hunan o genhedlaeth i genhedlaeth. Gallwn dynnu'r bennod hon i'w therfyn gydag esiampl fyw o hynny. Yn wyneb pandemig y Covid-19, bu'n rhaid ymaddasu'n chwim, a gwelir yr ystwythder hwn yn y strategaeth Adnewyddu ac Ailadeiladu.

Ond waeth beth yw'r cyd-destun, yr heriau a'r cyfleoedd, mae'r gweithgareddau'n tyfu o wreiddiau cadarn y saith egwyddor sy'n datgan bod Mudiad Meithrin yn credu:

- bod caffael yr iaith Gymraeg o fantais i blant

- y dylid sicrhau cyfle cyfartal i bob plentyn gael mynediad i wasanaethau cyfrwng Cymraeg yn y blynyddoedd cynnar o fewn cyrraedd hwylus i'w gartref

- bod dilyniant addysg Gymraeg yn hanfodol i bob plentyn sy'n mynychu ein darpariaethau

- bod chwarae yn sylfaenol i ddatblygiad plant yn gorfforol, yn emosiynol, yn ieithyddol, yn gymdeithasol, ac yn ddeallusol

- bod plant, waeth beth fo'u hangen, yn elwa o brofiadau blynyddoedd cynnar o ansawdd dda

- bod y teulu yn sylfaen i ddatblygiad plant

- bod hawliau plant yn unol â Chonfensiwn y Cenhedloedd Unedig ar Hawliau Plant a Deddf Plant 1989 yn hollbwysig.

Ac mae'r cyfan yn ategu nod sylfaenol y Mudiad, sef **'rhoi cyfle i bob plentyn ifanc yng Nghymru fanteisio ar wasanaethau a phrofiadau blynyddoedd cynnar trwy gyfrwng y Gymraeg'**.

Pob dymuniad da i'r Mudiad wrth iddo gyrchu'r nod hwnnw.

The 5th Decade: September 2011 to the present

Dewin a'r Llyfr Mawr Piws

Cerdd Anni Llŷn i'r Parti Pyjamas

Cynllun Bodo

Mudiad's growth continued. There were now 1,026 Cylchoedd Ti a Fi and Cylchoedd Meithrin, and an increase of Welsh speakers among children of three and four years old in the census from 18.8% to 23.6% was encouraging.

A name-change from 'Mudiad Ysgolion Meithrin' to 'Mudiad Meithrin' coincided with the launch of a new logo.

2014. Hywel Jones retired from the post of Chief Executive after 21 years' service to be replaced by Dr Gwenllian Lansdown Davies.

In the two years from 2013 to 2015 the service offered by Mudiad increased by 30% with the provision of breakfast, lunch and after-school clubs and wrap-around care beyond the usual Meithrin hours.

2015. *Dewiniaith* was published, a document which outlined Mudiad's vision for the next 10 years.

In this decade, the duties and responsibilities of the volunteers increased considerably and support for them was enhanced by means of various information packages and a dedicated line to the Human Resources Department.

Training

From self-study courses to language-buddy type schemes, as well as strategic initiatives such as Meithrin Miliwn, designed to coincide with the Welsh Government's One Million Welsh-speakers strategy, many opportunities were developed for staff and parents to become more confident speakers of Welsh. As well as encouraging the use of Welsh, Mudiad turned its attention to British Sign Language, with training provided for staff.

In 2012–13, following a successful bid for £6 million over 3 years, a National Training Scheme was set up to train new practitioners, and in 2014–15 a BA course in Early Childhood was initiated in collaboration with UWTSD.

Also in 2014–15, Academi was set up with the backing of the First Minister and BT to provide a home for the Continuing Professional Development of all Mudiad staff and volunteers.

Inclusion

2011 saw the publication of a translation into Welsh of Todd Parr's book *It's Okay to Be Different*, and in 2011–12 Mudiad launched a research project to examine every aspect of inclusion in its provision. By 2016 a training programme, Cylch i Bawb, was instituted to ensure that all Cylchoedd are fully inclusive and welcoming. In 2019 its Diversity and Equality strategy was launched and one of the first things that followed was an apprenticeship scheme for individuals from Black, Asian and Minority Ethnic communities.

In 2020, Mudiad appointed an officer to lead on diversity and equality. This coincided with the launch of a resource to develop an understanding of world religions and also a project called Nodau Natur inspired by Arabic, Bengali, Polish, Urdu and Welsh nursery rhymes.

As this book goes to press, a group is working on a data project to identify gaps in the provision for reaching children from all communities across Wales, and Mudiad is mindful that yet more work needs to be done.

Celebrating achievement

Mudiad understands that celebrating its achievements is important, not only to the various Cylchoedd but also to the leaders, assistants, volunteers and committees

Poster Cynllun Prentisiaethau wedi ei anelu at gael gweithlu Du Asiaidd a Lleiafrifoedd Ethnig

that make Mudiad Meithrin possible. A look at Mudiad's webpage will show the astounding range of provision and the excellent standards achieved.

Celebration is also a way of demonstrating the fun that comes from being part of Mudiad Meithrin, and events like 'Prams on the Prom', held in Aberystwyth, and the fund-raising 'Pyjama Party', that broke the world record for being the biggest pyjama party ever, are just two examples of such ventures.

TODAY

Mudiad Meithrin continues to grow and today its heart beats with the same infectious enthusiasm as in the days of its founders. A mark of its success is that today nearly 90% of Mudiad's children go on to be educated through the medium of Welsh – the highest percentage ever.

The demands on it have increased hugely due to the plethora of laws and regulations by which it must abide, and to the bi-annual inspections by Estyn and Care Inspectorate Wales which it must satisfy.

The best place by far to learn more about Mudiad's work today is the website www.meithrin.cymru

The secret of Mudiad's success is its ability to re-invent itself in the face of changing circumstances, never more necessary than in response to Covid-19.

However, no matter what the challenge, the aim of Mudiad remains to ensure that every child in Wales is given the opportunity to benefit from its provision and all the experiences it offers, through the medium of Welsh.

As we enter a new decade in Mudiad Meithrin's history, we wish it all the very best in pursuit of this goal.

PENNOD 3

ATGOFION Y CYCHWYN CYNTAF

THE EARLIEST MEMORIES

CODI HET I'R GORFFENNOL A THORCHI LLEWYS I'R DYFODOL

Emyr Jenkins: Llywydd Anrhydeddus a'r Cadeirydd cyntaf

Petase gennym thema pan sefydlwyd y Mudiad hanner canrif yn ôl, rwy'n credu mai hwn fyddai'n crisialu orau ein bwriad bryd hynny: 'codi het i'r gorffennol a thorchi llewys i'r dyfodol'.

Roedd y term 'Ysgol Feithrin' yn gyfarwydd i ni'r Cymry oherwydd ymdrechion cannoedd o wirfoddolwyr oedd wedi sefydlu grwpiau bychain mewn festri capel neu neuadd bentref ar hyd a lled y wlad am flynyddoedd lawer er mwyn cynnal sesiynau chwarae yn y Gymraeg i blant dan bump oed (sef oed statudol cychwyn ysgol y pryd hwnnw). Ar y cyfan, roedd y grwpiau hyn yn gweithio yn gwbl annibynnol ar ei gilydd, a'r cefnogwyr pybyr yn codi arian i dalu rhent yr adeilad ac yn prynu, neu roi, offer pwrpasol a gwirfoddoli eu hamser i arwain y gweithgareddau. Yr oedd tair Ysgol Feithrin yng Nghaerdydd ar y pryd a phenderfynwyd ar raglen o gydweithio er mwyn codi arian, rhannu adnoddau, siarad â'r Awdurdod Lleol ac ati. Gwelwyd bod hyn yn gweithio er lles pawb, ac yna fe dyfodd y syniad: 'pam na allai hyn weithio hefyd ar raddfa genedlaethol?'.

Dringo ar ysgwyddau'r arloeswyr hyn a wnaethon ni wrth sefydlu'r Mudiad, gan sianelu'r ymdrechion i mewn i gorff fyddai'n crynhoi adnoddau a rhoi llais a chefnogaeth genedlaethol i'r ymdrech wirfoddol hon. Yr oedd amser yn brin, gan fod y Gweinidog Addysg yn Llundain ar y pryd, Margaret Thatcher, wedi cyhoeddi'r bwriad i ddarparu addysg feithrin statudol amser llawn i blant pedair oed, ac addysg feithrin rhan-amser i blant tair oed ymhen blwyddyn neu ddwy.

Ein tybiaeth ni oedd mai darpariaeth trwy gyfrwng y Saesneg fyddai hyn dros Brydain gyfan ac y byddai hynny yn cael effaith andwyol ar ein hiaith ymhlith plant Cymru.

Gwelsom fod tua 70 o Gylchoedd Meithrin yn bodoli ar y pryd ar hyd a lled Cymru a'n strategaeth gychwynnol felly oedd mynd ati i agor cynifer ag y gallem o Gylchoedd Meithrin ychwanegol er mwyn dangos yn glir fod galw am addysg feithrin yn y Gymraeg ac i hawlio, pe gwireddid bwriad y Llywodraeth, fod rhaid i addysg feithrin yn y Gymraeg gael lle amlwg ym mywyd addysgol Cymru.

Aeth y Llywodraeth ddim ymlaen â'r cynllun ond, diolch byth, bu'r cynnydd mawr yn nifer y grwpiau meithrin, a'r datblygiad yn ansawdd y ddarpariaeth, yn sail gadarn i'r twf aruthrol mewn addysg trwy gyfrwng y Gymraeg sydd wedi digwydd yn ystod yr hanner canrif diwethaf.

BUILDING ON THE WORK OF THE PIONEERS

Emyr Jenkins, Honorary President and first Chair, remembers how 50 years ago, Ysgol Feithrin (Welsh-medium nursery school) was already a familiar concept. There were 70 across Wales, run independently of each other. The three in Cardiff decided to co-operate with good results which in turn provided a template for how nursery schools across Wales could be strengthened by being brought together. He acknowledges the work of the pioneers and recalls the drive to establish as many Cylchoedd as possible in order to feed and prove the demand for Welsh-medium education.

CYNHYRCHU SIARADWYR CYMRAEG

Cennard Davies: Cyn-gadeirydd a Llywydd Anrhydeddus

Fel mewn rhai ardaloedd eraill, roedd cylchoedd chwarae Cymraeg gwirfoddol wedi eu sefydlu ym mlaenau'r Rhondda Fawr ryw bum mlynedd cyn i'r Mudiad ddod i fodolaeth yn 1971. Yn Nhreorci, y prif symbyliad oedd bod nifer o Gymry Cymraeg ifanc yn dechrau magu teulu ond hefyd roedd pryder bod nifer y plant oedd yn mynychu Ysgol Gymraeg Ynyswen wedi gostwng yn sylweddol a'r Cyngor Sir yn bygwth ei chau. Sefydlwyd tri Chylch yn Nhreorci, Treherbert a Thon Pentre a ffurfiwyd pwyllgor i'w gweinyddu ar y cyd. Yn ogystal â dysgu, Mary, fy ngwraig, oedd trysorydd y fenter. Ar wahân i'n hymdrechion codi arian lleol, cawsom gefnogaeth hollbwysig gan Gronfa Glyndŵr a mawr fyddai'r llawenydd ar ein haelwyd pan gyrhaeddai Mrs Dorothy Dolben, cynrychiolydd y Gronfa, ar y trên o Gymer Afan, lle'r oedd ei gŵr yn orsaf-feistr, er mwyn trosglwyddo'r siec fisol.

Roedd ysbryd cenhadol yn y tir gyda rhieni ifanc ynghyd ag athrawesau hŷn oedd wedi ymddeol yn rhoi o'u gwasanaeth yn rhad ac am ddim ac, o dan arweiniad prifathro deinamig newydd Ynyswen, Meirion Lewis, a'i staff ymroddgar, fe dyfodd yr ysgol ar garlam.

Mynd wedyn yn Awst 1971 i Eisteddfod Bangor i fynychu'r cyfarfod a drefnwyd i ystyried cydlynu yn

genedlaethol waith y Cylchoedd a sefydlwyd ar hyd a lled y wlad. Yn anffodus, er inni fel teulu dreulio'r wythnos ym Mangor, bu raid inni ymadael cyn y dydd Sadwrn, diwrnod y cyfarfod hollbwysig! Roedd hynny'n siom ond ymhen mis roeddwn i'n bresennol yng nghyfarfod swyddogol cyntaf Mudiad Ysgolion Meithrin (MYM) yn Aberystwyth. Ces i fy ethol yn aelod o'r pwyllgor cenedlaethol a chael fy hun yn rhannu cyfrifoldeb am bamffledi cyhoeddusrwydd gyda'r ymgyrchydd diflino, Gwilym Roberts.

Roedd Emyr Jenkins, y Cadeirydd cyntaf, wedi arwain y mudiad ifanc yn ddeheuig yn ystod ei ddwy flynedd gyntaf ac yn 1973 ces i'r fraint o'i olynu i'r gadair. O'r dechrau roedden ni'n dibynnu ar weithwyr gwirfoddol, gyda Bethan Roberts yn cyflawni gwaith anhygoel wrth iddi ymgymryd â dyletswyddau'r Trefnydd Cenedlaethol ac Ysgrifennydd Cenedlaethol. Fodd bynnag, teimlais i ac eraill fod rhaid wrth swyddogion llawnamser, ond er mwyn eu cael byddai angen arian. Roedd derbyn y siec gyntaf am £5,500 gan y Llywodraeth yn 1973 yn achlysur sy'n aros yn y cof ac erbyn y flwyddyn ganlynol roedd y swm wedi cynyddu i £15,500. Roedden ni ar y ffordd i ymateb i'n prif her, sef proffesiynoli'r Mudiad.

Roedd hwn yn gyfnod cyffrous i fod yn Gymro neu'n

Gymraes gyda phob math o ddatblygiadau o ran sefyllfa a statws yr iaith. Yr hyn a'm trawodd fwyaf wrth gwrdd â phobl ledled y wlad oedd eu brwdfrydedd heintus a'u hawydd i genhadu. O'i gymharu â heddiw, prin oedd yr adnoddau dysgu oedd ar gael i'r Cylchoedd, ond gwnaed yn iawn am hynny gan sêl yr arweinwyr. Ychydig oedd eu tâl ond roedden nhw'n barod i gerdded yr ail filltir yn ddirwgnach. Yn y Rhondda gwelsom athrawesau oedd wedi hen ymddeol yn torchi llewys ac yn rhoi'n hael o'u hamser a'u doniau. Enghraifft o un o'r rhain oedd Margaret Rosser, Ton-teg, a aeth ati i weu pypedau a dyfeisio dulliau i'w defnyddio i gyflwyno'r Gymraeg yn ddiddorol i'r plant.

Un o'r pethau a roddodd foddhad mawr imi oedd y cysylltiad a ddatblygodd rhwng y Mudiad a'r cwrs Cymraeg dwys roeddwn i'n gyfrifol amdano ym Mholytechnig Cymru. Pan ddaeth Bryan Jones yn Gyfarwyddwr Cenedlaethol yn 1978 sylweddolodd fod llawer o rieni'n awyddus i gyfranogi o waith MYM ond bod eu diffyg Cymraeg yn eu rhwystro. Penderfynodd fuddsoddi swm o arian yn flynyddol i alluogi rhai o'r mamau ifanc i ddod atom i ddysgu Cymraeg. O ganlyniad, ces i'r pleser o'u gweld yn dod yn siaradwyr rhugl a mynd ymlaen i roi gwasanaeth gwerthfawr i'w Cylchoedd lleol. O'r cyswllt hwn, tyfodd y syniad o wneud cais ar y cyd gan y Polytechnig a MYM am nawdd gan Sefydliad Van Leer yn yr Iseldiroedd. Yn 1986, derbyniwyd grant o £296,000 a thrwy frwdfrydedd y mamau hyn llwyddwyd i sefydlu nifer o Gylchoedd ar draws y De-ddwyrain. Yn eironig, daeth y cynllun i ben ymhen tair blynedd am fod Sefydliad Van Leer yn teimlo ein bod yn rhoi gormod o bwyslais ar yr iaith! Un a fu'n rhan o'r cynllun hwn oedd Dr Anne Brooke, Americanes oedd wedi dysgu Cymraeg gyda ni yn y coleg, ac a ddyfeisiodd gynllun darllen a alluogai rieni di-Gymraeg i ddarllen i'w plant. Aeth ymlaen i ddatblygu cynllun uchelgeisiol pellach *Cymraeg i'r Teulu* a fabwysiadwyd gan lawer o Gylchoedd.

Mae cyfraniad MYM wedi bod yn allweddol i ddatblygiad addysg Gymraeg. Yn y Rhondda gwelsom nifer yr ysgolion yn cynyddu o ddau i bump a gwelwyd cynnydd tebyg mewn sawl ardal. Er bod llawer o fudiadau wedi brwydro i ddiogelu'r iaith mewn sawl maes yn ystod yr hanner canrif ddiwethaf gall MYM hawlio ei fod wedi mynd at graidd y broblem, sef cynhyrchu siaradwyr. Heb y rhain, nid yw'r iaith fyw yn bod.

PRODUCING WELSH SPEAKERS

Cennard Davies, Honorary President and former Chair, recalls how the first three Cylchoedd were established in Treorchy, Treherbert and Ton Pentre in 1966 with the aim of revitalising support for the Welsh primary school, Ysgol Gymraeg Ynyswen. He remembers the joy of receiving support from Cronfa Glyndŵr (the Glyndŵr Trust) and how its representative, Mrs Dorothy Dolben, used to deliver the monthly cheque by train from Cymer where her husband was the station master. It was an exciting time to be Welsh. Young parents and older teachers gave time and donations enthusiastically, and the school and Cylchoedd grew. Smallish governmental grants and a £296,000 grant from the Van Leer foundation in the Netherlands enabled the movement to become professional, and courses organised by the Polytechnic of Wales in Treforest enabled many young mothers to learn Welsh.

DECHRAU'R DAITH

Mair Jenkin Jones: Cyn-swyddog Datblygu ac Is-gadeirydd

Ar ddiwrnod o Awst yn 1968, ar gae'r Eisteddfod Genedlaethol, pwy a ddaeth i gyfarfod â fy merch ddwy flwydd oed a minnau ond Mair Lloyd Davies o Bwllheli a'i merch hithau. Buom yn siarad a mwynhau, ond wedyn yn sydyn dyma hi'n gofyn i mi a oeddwn wedi meddwl am gael Ysgol Feithrin i fy merch. Bu'n rhaid i mi gyfaddef fy mod wedi ystyried hynny ond bod y nesaf i mi braidd yn bell – ym Mangor! 'Dowch i ni gael un ym Mhwllheli,' oedd ei hymateb a hynny a ddisgwyliwn ac a ddymunwn gan Mair.

Caed pwyllgor gweithgar. Bu Mair yno'n gadarn ei hargyhoeddiad am flynyddoedd gyda chefnogaeth gref Kathleen Parry, Lena Pritchard, Iona Williams, Lilian Roberts, Joyce Llewelyn, y ddiweddar annwyl Catherine Griffith a minnau, ynghyd ag athrawon a gofalwyr dawnus, a chafwyd cefnogaeth lwyr Ficer yr Eglwys ym Mhwllheli lle roedd yr Ysgol Feithrin yn ymgartrefu, sef y diweddar Barchedig Hugh Pierce Jones.

Ar iard Ysgol Bryncroes

Agorwyd yr Ysgol Feithrin hon ar y 9fed Ionawr 1969 gan Mrs Edith Edwards, cyn Brifathrawes Ysgol Babanod Troed-yr-allt, pan oedd haenen denau o eira ar ddaear Llŷn ac Eifionydd. Diwrnod i'w gofio! Cynhelid yr Ysgol Feithrin am ddau ddiwrnod yr wythnos i ddechrau ac yna am bum diwrnod yr wythnos; agorwyd yr ail un ym Medi 1971 am dri bore a'r drydedd tua 1974 am ddau fore – y rhai olaf hyn yn y Ganolfan Gymdeithasol. Gwyddwn fod yma gnewyllyn o rywbeth hynod bwysig ar gyfer plant Cymru gyfan.

Daeth y galw o fannau eraill drwy Gymru yn fuan am Fudiad i gynnal y Cylchoedd a chytunwn yn llwyr â hyn. Daeth Mudiad Ysgolion Meithrin i fodolaeth dan arweiniad Emyr Jenkins yn Gadeirydd a Bethan Roberts yn Ysgrifennydd am y ddwy flynedd gyntaf, ac roeddwn innau yn y cyfarfod cyntaf. Ymhen dwy flynedd daeth Cennard Davies yn Gadeirydd a minnau'n Is-gadeirydd. Daeth y Wynedd newydd i fodolaeth yn 1974 a bûm yn aelod o'r Pwyllgor Addysg yn ei gyfnod cyntaf. Eu swyddogion hwy oedd yn arolygu pob adeilad meithrin cyn rhoi caniatâd i'w ddefnyddio a minnau'n gofalu'n gyffredinol am yr hyn oedd yn cael ei gyflwyno i'r plant.

Cofiaf y tro y daeth gair o Ddulyn yn gofyn a gâi tri chynrychiolydd ddod draw i weld rhai o'n Cylchoedd ni. Croesawyd hwy a buont o gwmpas efo mi am bedwar diwrnod. Yna, daeth galwad i mi roi dwy sgwrs iddynt hwythau yn Nulyn a thrafod profiad ac anghenion y Cylchoedd. Daeth un o'r Gwyddelod, ei gŵr a'i phlant yn ôl i'n Cyfarfod Cyffredinol yn Sir Gaerfyrddin y flwyddyn honno!

Un o'r digwyddiadau a gyffrôdd ardal Llŷn oedd y sôn am gau Ysgol Gynradd Bryncroes ac i'r plant fynd i un o'r ysgolion nesaf ati. Ymledodd y teimlad drwy Gymru gyfan nad oedd hyn i fod, ond fe ddigwyddodd, er y protestio ffyrnig yn lleol ac yn genedlaethol. Wedi cyfnod

i ystyried, soniais wrth un neu ddwy oedd â phlant ifanc ganddynt am gael Ysgol Feithrin yno am ddau ddiwrnod bob wythnos a chael clywed lleisiau afieithus plant yn llenwi'r lle eto. Fe'm synnwyd gan yr ymateb ac fe ddaeth un o Ysgolion Meithrin mwyaf arwyddocaol Cymru i fodolaeth. Agorwyd hi'n swyddogol gan Huw Jones ar 1af o Fawrth 1973 a daeth torf sylweddol yno i ddathlu. Parhaodd hyd nes y caewyd hi dros dro gan y feirws.

Rhaid byw mewn gobaith y cawn eto weld yr ysgol hon yn agor a'r Mudiad yn gyffredinol yn mynd o nerth i nerth.

Dosbarth Bryncroes

IN THE BEGINNING

Mair Jenkin Jones, who was present at the very first meeting, later became a Development Officer for Mudiad Meithrin. In this piece, she recalls how, in the 1968 Eisteddfod, Mair Lloyd Davies of Pwllheli suggested to her that they should open an Ysgol Feithrin in town. A committee was formed, and the nursery school opened in January 1969. Today she lives in hope to see Mudiad continuing to grow from strength. to strength.

'I TAKE MY GRANDDAUGHTER TO MEITHRIN FOUR TIMES A WEEK'

Holi J Bryan Jones: Cyn-gyfarwyddwr Cenedlaethol a Llywydd Anrhydeddus

MH: Beth a'ch symbylodd chi i ymwneud â Mudiad Meithrin?

BJ: Bu Janice fy ngwraig yn un o arweinyddion Cylch Meithrin Rhiwbeina pan oedd ein plant, Aled a Geraint, yno ac yn achlysurol roeddwn i'n mynychu pwyllgorau'r Cylch. Ond erbyn 1971 roedd y ddau fab wedi gadael y Cylch a wyddwn i ddim am sefydlu Mudiad Ysgolion Meithrin (MYM) y flwyddyn honno. Roeddwn yn aelod o staff Coleg Addysg Cyncoed ac un o'm cyd-aelodau oedd Elen Ogwen a fu'n gadeirydd cenedlaethol y Mudiad. Hi ddaru fy annog i wneud cais am y swydd yn 1978.

MH: Beth yw eich atgofion cynharaf o'r ymwneud hwn?

BJ: Bu 1978–80 yn ddwy flynedd braidd yn annifyr o geisio diffinio swyddogaeth y Cyfarwyddwr a hynny yn ystod helyntion addysg Morgannwg Ganol a'r anghydfod ynglŷn â ffrwd Gymraeg mewn ysgol Saesneg. Roedd canllawiau'r grant gan y Swyddfa Gymreig hefyd yn rhai cyfyng. Ystyriwyd y Mudiad fel gwasanaeth cymdeithasol a'r adran honno yn y Swyddfa Gymreig oedd yn rhoi nawdd. Doedd gan yr adran ddim diddordeb o gwbl yn sefyllfa'r iaith. Grant i gynnal staff Pencadlys y Mudiad ydoedd ac ni chaniateid trosglwyddo dim i gynnal y Cylchoedd.

Erbyn 1980 fodd bynnag roeddwn yn fwy sicr o'm cylch gwaith.

MH: Pa ddigwyddiad neu drobwynt sy'n aros yn y cof?

BJ: Roedd pencadlys y Mudiad mewn ystafell fach yng Nghanolfan yr Urdd yng Nghaerdydd a buan y sylweddolwyd bod angen swyddfeydd mwy pwrpasol. Toc wedyn, fe symudodd y pencadlys i Heol Llanishen Fach,

Rhiwbeina. Trobwynt arbennig oedd cyhoeddiad Nicholas Edwards, Ysgrifennydd Gwladol Cymru, ar ddechrau'r wythdegau ei fod am neilltuo £400,000 i'r Mudiad tuag at hyrwyddo'r iaith. Roedd hwn yn benderfyniad allweddol i ni ac yn ei sgil roedd posib inni gyfrannu at gynhaliaeth y Cylchoedd Meithrin. Er mwyn annog y Cylchoedd i ymestyn eu gwasanaeth, penderfynwyd noddi'r Cylchoedd yn ôl nifer eu sesiynau wythnosol a hyn er mwyn cynyddu'r oriau cyswllt â'r iaith.

MH: Oes rhyw dro trwstan yn dod i'r meddwl?

BJ: Wedi dwy flynedd ansicr wrth y llyw roedd gweddill fy nghyfnod gyda'r Mudiad yn rhai arbennig o hapus. Tro trwstan oedd mynd i Lydaw i ymweld â'r Cylchoedd yno gan gario nifer o lyfrau Cymraeg ac yn eu plith hanes yr Urdd. Wedi cyrraedd St Malo gofynnodd y swyddog tollau beth oedd cynnwys ein bocsys ac wedi iddo agor llyfr yr Urdd gwelodd lun o aelodau'r Urdd mewn lifrai o dan faner Cymru. 'Subversives' oedd geiriau cyntaf y swyddog. Ond o dipyn i beth fe lwyddwyd i'w berswadio mai diniwed oedd y cyfan!

MH: Beth oedd yr her fwyaf a wynEboCh chi yn eich ymwneud â'r Mudiad?

BJ: Yr her: gwybod fod y galw am addysgu Cymraeg heb derfyn ond heb adnoddau ariannol i gynnal y gwaith. Yn sicr, roedd rhieni'r De-ddwyrain yn cydnabod gwerth yr iaith ac os oedd Cylch Meithrin o fewn cyrraedd rhesymol byddent yn anfon eu plant yno.

Mae'n rhaid imi ddweud nad ydw i'n yn cofio clywed gwrthwynebiad i werth y Mudiad ar unrhyw achlysur. I'r gwrthwyneb, croeso a gafwyd bron ymhob man.

Yr her bersonol fwyaf i mi oedd ceisio cadw rheolaeth ar yr holl gynlluniau oedd ar waith yn ystod yr wythdegau ac ar yr un pryd sicrhau bod gwasanaeth sylfaenol y Mudiad yn gymeradwy.

Dyma restr o rai o'r cynlluniau cyffrous a welwyd yn ystod yr wythdegau a fu'n ddegawd o dwf cyson:

i) Grant trwy law un o sefydliadau Ewrop i fesur caffaeliad iaith plant ein Cylchoedd

ii) Cynllun ar y cyd gyda Dŵr Cymru

iii) Cynllun ar y cyd gyda'r Bwrdd Croeso

iv) Cynllun Van Leer (yn werth cyfanswm o £1.8 miliwn) i atgyfnerthu gwaith ieithyddol a chymdeithasol y De-ddwyrain

v) Cynllun Cymathu Plant ag Anghenion Arbennig

vi) Cynllun ar y cyd gyda'r Brifysgol Agored yng Nghymru a Milton Keynes i baratoi awgrymiadau ar gyfer arweinyddion y Cylchoedd

vii) Cynllun i baratoi llawlyfr i arweinyddion Cylchoedd (dan nawdd y Gymuned Ewropeaidd)

viii) Cysylltiadau gyda mudiadau plant Barnardo's, Cronfa Achub y Plant, Plant yng Nghymru ayb.

MH: Beth roddodd y pleser mwyaf i chi?

BJ: Y pleser mwyaf oedd sylweddoli bod y Cylchoedd Meithrin a'r Mudiad yn genedlaethol yn rhan o wead addysg a chymdeithas yng Nghymru. Yn lleol roedd y Cylchoedd yn arddel a gwerthfawrogi eu perthynas â'r Mudiad yn genedlaethol, ac ar lefel weinyddol roedd cysylltiadau cyson a phersonol rhyngom a swyddogion Awdurdodau Addysg a Gwasanaethau Cymdeithasol.

MH: Beth yn eich tyb chi yw gwaddol y Mudiad yn eich ardal leol?

BJ: Ga' i ddyfynnu pennawd a welwyd yn *Y Dinesydd*, papur bro ardal Caerdydd, ym mis Rhagfyr 2020: 'Addysg

Gymraeg - Canran Uwch nag erioed'. Dwi'n gobeithio mai MYM oedd y sail i hyn.

MH: A'r gwaddol yn genedlaethol?

BJ: Heb amheuaeth mai'r Mudiad yw'r prif ddarparwr addysg yng Nghymru ar gyfer plant dan bump.

MH: Oes rhyw ddyfyniad wedi aros gyda chi – efallai gan riant neu blentyn neu arweinydd neu bwyllgorwr neu wleidydd …?

BJ: Mae dau ddyfyniad yn aros yn y co':

a. Dynes (Mam-gu) ddi-Gymraeg o gyffiniau Casnewydd yn digwydd siarad efo Janice pan oeddwn yn carafanio yn Genefa. Doedd cefndir Janice a fi ddim yn hysbys iddi ond dyma ddywedodd: 'I take my granddaughter to Meithrin four times a week!' Pan glywais y geiriau hynny o'n i'n teimlo'n falch iawn. Roeddwn wedi llwyddo.

b. Llu o uchel-swyddogion di-Gymraeg y Swyddfa Gymreig yn dweud wrthyf: 'MYM is light years ahead of any other pre-school association in Britain.'

Er mai yn Saesneg y mae'r dyfyniadau maent yn arwydd o'r ffaith ein bod wedi llwyddo i groesi'r bont. Peth arall oedd yn drawiadol oedd awydd a brwdfrydedd cymaint o fudiadau a sefydliadau eraill i gydweithio gyda'r Mudiad ac yn amlwg yn teimlo'n hyderus wrth wneud hyn. Roedd cysylltiadau'r Mudiad yn ymestyn yn eang. Casglwyd £25,000 tuag at ymgyrch Dŵr Glân yn yr India a £30,000 tuag at addysg cyn oed ysgol yn Lesotho. Roedd mudiadau meithrin eraill, yn arbennig y rhai yn y gwledydd Celtaidd, yn edrych i'n cyfeiriad ni am arweiniad a hyn

yn ychwanegol at fudiadau iaith yn Ffryslan a Ffrioli.

MH: Beth fyddai eich dyhead chi o ran yr hanner can mlynedd nesaf ym mywyd y Mudiad?

BJ: Yn yr hir dymor sicrhau bod pob plentyn yng Nghymru yn cael y fantais o addysg Gymraeg a bod y Mudiad yn parhau i fod yn gorff cenhadol dros hynny.

'I TAKE MY GRANDDAUGHTER TO MEITHRIN FOUR TIMES A WEEK'.

In this interview J Bryan Jones, Honorary President and former Director, recalls how he took up the post in 1978 when local and central governments were often less than helpful. In 1980 however, the Secretary of State for Wales allocated £400,000 to promote the Welsh language which enabled Mudiad to support the Cylchoedd and help them extend their service. What he found most satisfying about his role was recognising that Mudiad had become an integral part of Welsh society, as evidenced in the title of his contribution. This is a sentence taken verbatim from a conversation he heard, where the Welsh word 'Meithrin' was used in an otherwise English sentence, by a grandmother who was proud to be taking her granddaughter there.

YMLAEN BO'R NOD!

Gwilym E Roberts: Cyn-gadeirydd a Llywydd Anrhydeddus

Pan ddaeth cais ata' i am gyfrannu erthygl am fy atgofion o sefydlu Mudiad Meithrin hanner can mlynedd yn ôl agorodd y llifddorau a daeth llu o atgofion am y cyfnod cyffrous hwnnw i'm cof. Ond yn anffodus anodd fydd crisialu'r holl hanes ynglŷn â'r cyfnod cynnar mewn erthygl fer fel hon!

Roedd fy niddordeb mewn addysg feithrin Gymraeg yn ymestyn yn ôl ymhell cyn sefydlu'r Mudiad mewn gwirionedd gan fy mod i wedi mynd ati i sefydlu Cylch Meithrin ym mhentre' fy magwraeth yn Rhiwbeina, ger Caerdydd, nôl yn 1959 pan oedd y pentre' yn dal yn rhan o'r hen Sir Forgannwg. O'n i wastad wedi teimlo'r golled o orfod derbyn addysg Saesneg ac felly penderfynais y byddwn yn ceisio newid y sefyllfa gan agor Cylch Meithrin yn fy ardal ac yna gwneud cais i Awdurdod Addysg Sir Forgannwg am agor Ysgol Gymraeg yno. Mae'r Cylch yn dal i ffynnu ar ôl 61 o flynyddoedd, a bellach mae'r plant yn symud ymlaen i Ysgol Gymraeg y Wern yn Llanisien.

Yna, yn 1969 sefydlwyd Pwyllgor Canolog Ysgolion Meithrin Caerdydd gyda'r nod o ehangu addysg feithrin Gymraeg yn y ddinas a gorfodi'r Awdurdod Addysg yno i agor mwy o ysgolion Cymraeg gan fod yr unig ysgol Gymraeg eisoes yn llawn. Cafwyd hwyl ar y gwaith ac agorwyd Cylch ar ôl Cylch mewn gwahanol rannau o'r ddinas, ac o ganlyniad agorwyd nifer o ysgolion Cymraeg ychwanegol i gyfarfod â'r galw!

Fe'm hetholwyd yn Gadeirydd y Pwyllgor ac Ann Saer yn Ysgrifennydd a chofiaf ei geiriau yn un o'r cyfarfodydd pan ddywedodd fod angen i ni fod yn broffesiynol yn ein hagwedd er mwyn denu mwy a mwy o rieni i weld gwerth mewn rhoi addysg Gymraeg i'w plant. Credaf fod ei geiriau yr un mor wir pan sefydlwyd y Mudiad.

Cofiaf fynd i Gynhadledd Genedlaethol a drefnwyd yng Nghanolfan yr Urdd yn Aberystwyth ym Medi 1971 i sefydlu'r Mudiad ar ôl cyfarfodydd brwd ar faes Eisteddfod Bangor i wyntyllu'r syniad o sefydlu mudiad fyddai'n cyfundrefnu'r holl waith. Daeth llond y lle ynghyd a dangoswyd brwdfrydedd heintus i symud ymlaen i'w sefydlu ac etholwyd swyddogion a phwyllgor yn y fan a'r lle i gyflawni'r gwaith. Bu'r Mudiad yn ffodus i gael gwasanaeth clodwiw Emyr Jenkins fel Cadeirydd a Bethan Roberts fel Ysgrifennydd a'r ddau ar dân dros yr achos.

Cynhaliwyd cyfarfodydd cyntaf y Pwyllgor Cenedlaethol yn Aberystwyth ym manc Oliver Gregory, Trysorydd y Mudiad, ac unwaith eto dangoswyd ymroddiad llwyr gan aelodau'r Pwyllgor o bob cwr o Gymru i sicrhau llwyddiant yr achos. Gorfu i'r Mudiad fabwysiadu term newydd am yr ysgolion oherwydd anfodlonrwydd y Weinyddiaeth Addysg i enwi'r grwpiau yn 'ysgolion' ac felly daeth y term 'Cylch' i fodolaeth, a phan sefydlwyd grwpiau i'r plant ieuengaf oll, maes o law defnyddiwyd yr enw 'Cylch Ti a Fi'.

Ar y dechrau cyflawnwyd llawer o waith y Mudiad yn wirfoddol nes i'r Weinyddiaeth Addysg gydnabod y Mudiad a threfnwyd cymorth ariannol i hybu'r gwaith a thrwy hynny bu'n bosibl cyflogi staff llawnamser ac agor swyddfa a phenodi trefnyddion sirol i barhau'r gwaith. Tyfodd y Mudiad yn gyflym, a bellach mae Cylch Meithrin ar gael yn y rhan fwyaf o drefi a phentrefi'r wlad - a'r ysgolion Cymraeg o ganlyniad yn elwa.

Cafwyd dogfen yn 1977 a fabwysiadwyd gan y Mudiad yn datgan nod ac amcan y Mudiad ac yn 1978 mabwysiadwyd logo o waith David Bown, gynt o Bontypridd. Ers blynyddoedd bellach ceir pabell y Mudiad ar faes yr Eisteddfod a bydd plant meithrin ardal pob Eisteddfod yn cael ymddangos ar lwyfan y Brifwyl yn ystod yr wythnos i ddiddanu'r gynulleidfa. Dw i wrth fy modd yn gweld llwyddiant y Mudiad dros y blynyddoedd ac yn ddiolchgar i'r arloeswyr hynny a ddangosodd gymaint o ymrwymiad i achos sydd bellach yn hollbwysig yn y frwydr i sicrhau dyfodol i'n hiaith.

I mi, y ddau fudiad pwysicaf yn y frwydr iaith ydy Mudiad Meithrin a mudiad yr Urdd sy'n gwasanaethu plant a phobl ifanc ledled Cymru, a bu'n fraint i minnau fod yn rhan o lwyddiant y ddau fudiad ar hyd y blynyddoedd. Pen-blwydd hapus Mudiad Meithrin wrth ddathlu'r hanner cant a phen-blwydd hapus i Fudiad yr Urdd wrth ddathlu'r cant yn 2022 - a hir oes i'r ddau ydy fy nymuniad!

ONWARDS!

Gwilym E Roberts, Honorary President and former Chair, was brought up in Rhiwbeina, Cardiff and was delighted to set up an Ysgol Feithrin there in 1959. He remembers how, in 1969, a central committee was set up to co-ordinate schools in Cardiff and how it became a template for the national Mudiad movement. He recalls how the work of the volunteers was eventually recognised by the Education Authority, how the aims and objectives were published in 1977 and how a logo designed by David Bown was adopted a year later to make the movement instantly recognisable throughout Wales. Alongside the Urdd, he sees Mudiad Meithrin as the key to secure the future of the Welsh language.

CENHADU, CYNYDDU, CYNNAL ... A BALLU: CYFNOD 1976–1988

Siân Wyn Siencyn: Cyn-gyfarwyddwr y De

Symudais i Dalgarreg yn 1971 gan ddilyn breuddwyd ac egwyddorion Adfer. Er mwyn i'm plant (Gwydion oedd yn ddwy a Lleucu yn flwydd – daeth Esyllt yn ddiweddarach) gael cwmni plant eraill, doedd dim amdani ond teithio rhyw 15 milltir i Gylch Meithrin Llanon. A dechreuais gynorthwyo yn y Cylch.

Dyma benderfynu wedyn i fynd o gwmpas ffermydd a chartrefi Talgarreg i weld faint o blant fyddai'n ymuno â Chylch Meithrin pe byddai un yn y pentref. Ac yn 1976 sefydlwyd Cylch Meithrin Talgarreg gyda chwech o blant mewn stafell wag yn yr ysgol gynradd, a chyda chymorth grant o £25 gan y Cyngor Plwyf, prynwyd offer a theganau.

Roedd cynnal Cylch Meithrin (yn ddi-dâl) yn cael ei ystyried bron fel rhyw fath o 'wasanaeth cenedlaethol' neu 'national service' i genedlaetholwyr y pryd hynny, a dyna a wnes am bum mlynedd; gyda'r Cylch yn cwrdd yn ein cartref am chwe mis pan fu'r ysgol yn cael ei hadnewyddu.

Ond yn 1980, daeth ychydig o dro ar fyd, pan gefais swydd gan y Mudiad yn cynnal ymchwil ar fethodoleg ail iaith yn y Cylchoedd. Grant gan yr European Cultural Foundation a Biwro Ieithoedd Llai'r Undeb Ewropeaidd oedd yn ariannu'r swydd hon a chyhoeddwyd yr adroddiad terfynol yn 1982. Drwy'r gwaith hwn, roedd gofyn am greu cysylltiadau da gyda gwledydd a rhanbarthau eraill yn Ewrop: Ffryslan, Llydaw, Catalonia, Iwerddon a ballu.

Ym mlwyddyn cyflwyno'r adroddiad, ces fy mhenodi wedyn yn Swyddog Cenedlaethol y De yn rhan-amser, gyda Ceinwen Davies, Porthaethwy, yn gyfrifol am y Gogledd. Roedd hwn yn gyfnod cyffrous iawn, ac wrth edrych yn ôl, dyma nodi rhai materion a gofiaf fel rhai o bwys.

*

Roedd angen creu system fwy sefydlog a strategol ar gyfer cymathu'r plant ag anghenion arbennig (a 'cymathu' ac 'anghenion arbennig' oedd y geiriau ar y pryd), a thrwy hynny ymateb i Adroddiad Warnock 1978 a'r egwyddorion a'r gofynion oedd ynddo. Roedd Cylchoedd wedi bod yn derbyn plant ag anghenion arbennig o'r cychwyn ond nid oedd trefn strwythurol o wneud hynny.

Sefydlwyd Pwyllgor Anghenion Arbennig. Y Cadeirydd oedd Ifanwy Williams, a finnau oedd yr aelod staff gyda chyfrifoldeb am y maes. Roedd Ifanwy, a fu farw yn 2020 yn 98 oed, yn wraig arbennig iawn ac yn ddylanwad aruthrol arna' i. Buon ni'n gweithio'n agos iawn dros y cyfnod hwn ac roedd profi ei doethineb, ei dealltwriaeth a'i gallu i drin a thrafod gweision sifil yn ddosbarth meistr. Welais i erioed neb yn debyg iddi. Roedd Bryan Jones, Cyfarwyddwr Cenedlaethol y Mudiad, hefyd yn arwain yn flaengar. Cefais gyfleoedd i fynychu nifer fawr o gyrsiau gyda'r Brifysgol Agored a rhai oedd wedi eu trefnu yn genedlaethol a thrwy awdurdodau addysg lleol.

Rwy'n cofio rhai achosion yn dangos cymaint oedd yr anwybodaeth, y rhagfarn a'r rhagdybiaethau ymysg pobl broffesiynol ynghylch dwyieithrwydd plant bach a'r Gymraeg. Cofiaf am un teulu ar fferm yng ngogledd Sir Benfro (teulu gyda mam-gu yn byw yno a theulu oedd, i bob pwrpas, yn uniaith Gymraeg) yn cael eu cynghori i droi iaith y teulu cyfan a siarad Saesneg gyda phlentyn bach byddar. Roedd y cyngor wedi dod oddi wrth y seicolegydd addysg ac ymgynghorydd addysg y byddar yn y Sir a'r ddau yn uniaith Saesneg. Cofiaf am deulu arall wedyn o ardal Pontypridd gyda phlentyn ag asthma yn cael eu cynghori i symud y plentyn i ddarpariaeth Saesneg er mwyn osgoi straen emosiynol ar y plentyn. Symudodd y plentyn ond parhau wnaeth y dioddef o asthma.

Achos cryn ymgyrchu hefyd fu'r diffyg darpariaeth therapi lleferydd Cymraeg i blant, a bu'r Mudiad yn lobïo gyda Choleg Brenhinol y Therapyddion Lleferydd, y Swyddfa Gymreig ac Athrofa Gwyddoniaeth a Thechnoleg Prifysgol Cymru (UWIST), sef yr unig goleg oedd yn hyfforddi'r gweithlu ar y pryd. Roedd Ifanwy, ynghyd â Carl a Dorothy Clowes, yn arwain ac yn cynghori'r Mudiad, ac roedd Dorothy yn uwch-therapydd lleferydd yr awdurdod iechyd yng Ngwynedd ar y pryd. Un o'r pwyntiau diddorol ddaeth i'r amlwg oedd y ddadl

rhwng rhai oedd yn credu bod therapi lleferydd yn fater i'r gwasanaeth addysgol (ac yn ddull o sicrhau mynediad i addysg ac yn y blaen) ac eraill o'r farn mai mater i'r gwasanaeth iechyd ydoedd.

Datblygiad hollbwysig yn ystod yr 1980au oedd Deddf Plant 1989. Yn fy marn i, dyma ddeddf bwysicaf y cyfnod, yn wir y ddeddf bwysicaf mewn cenedlaethau. Cafwyd trafodaethau athronyddol bron ynghylch plentyndod, perthynas plant â'u teuluoedd, plant a'r wladwriaeth, dinasyddiaeth a hawliau plant. Dyma themâu a oedd wedi bod yn rhan o ddisgwrs heriol y ddegawd flaenorol a mwy, ac a oedd wedi arwain at Gonfensiwn y Cenhedloedd Unedig ar Hawliau'r Plentyn.

Daeth tensiwn heriol a chreadigol i'r amlwg yn y cyfnod hwn: ai mudiad iaith ynteu fudiad plant oedd Mudiad Ysgolion Meithrin? Ond llwyddodd staff y Mudiad i sicrhau enw da yn y ddau faes, ac ennill parch fel arbenigwyr dwyieithrwydd cynnar yn ogystal ag fel arbenigwyr ar les, gofal, ac addysg plant bach.

Roedd Deddf Plant 1989 yn heriol ac yn gofyn bod angen sicrhau hyfforddiant a chymwysterau safonol i staff y Cylchoedd. Nid oedd yn dderbyniol i arweinydd y Cylch fedru siarad Cymraeg a bod yn hwyliog yn unig! Bu'n rhaid i'r Mudiad symud i sefydlu trefn genedlaethol o safoni hyfforddiant i staff y Cylchoedd a oedd, cyn hynny, wedi bod yn ddigon ad hoc: boreau Sadwrn o weithio gyda jync a 101 o betha i wneud gyda rholion papur tŷ bach!

Doeddwn i fawr o giamstar ar y math yna o beth. Ond tua 1978, trefnwyd cwrs gyda Dr Eirwen Price, Prifysgol Abertawe, yn darlithio ar iaith plant, datblygiad iaith, dylanwadau ar iaith plant a ballu. Roedd hi'n wych iawn ac roeddwn yn hollol 'hooked'! Ac mae wedi bod yn faes dw i wrth fy modd gydag o hyd heddiw, ac yn dal i ddarllen a dysgu. Joio!

Roedd hwn yn gyfnod o dwf aruthrol yn niferoedd y Cylchoedd Meithrin. Gweithredwyd strategaeth fwriadus i dargedu ardaloedd o gwmpas ysgolion cynradd Cymraeg, gyda Wyn Rees, Cennard Davies ac eraill yn arwain ac yn cynghori. Y nod oedd gorlenwi'r ysgolion gyda phlant o'r Cylchoedd ac yna canolbwyntio ar ardal arall er mwyn gwneud yr un peth. Felly gwelwyd sefydlu Cylchoedd yn ardaloedd y De-ddwyrain: Rhondda, Pontypridd, Pen-y-bont, Caerffili, Merthyr, Casnewydd ac yn y blaen. Bûm i mewn degau a mwy o gyfarfodydd cyhoeddus gyda'r nos mewn ysgolion, festrïoedd capeli, clybiau rygbi a ballu, er mwyn dwyn perswâd ar rieni ifanc i anfon eu plant i Gylch Meithrin.

Roedd un her yn codi ei phen bob nawr ac yn y man, sef bod ffrwd Gymraeg wedi ei sefydlu yn yr ysgol Saesneg. O ddilyn y strategaeth cylchu, byddai'r ffrwd Gymraeg yn gorlenwi, gyda mwy o blant yn y ffrwd nag yn yr ysgol Saesneg ei hun. Cafwyd sawl gwrthdaro gyda'r awdurdodau addysg ynghylch troi'r ysgol yn un swyddogol Gymraeg gyda ffrwd Saesneg. Cyfnod digon anodd.

Problem fawr oedd cael digon o arweinyddion ac oedolion cymwys oedd yn siarad Cymraeg i gynnal y Cylchoedd. Cynlluniwyd cwrs arbennig ac arloesol er mwyn ymateb i'r her sef cwrs y ddau Davies, Cennard a Basil, ym Mholytechnig Pontypridd. Roedd y merched (ie, rwy'n defnyddio'r gair yn fwriadol oherwydd hyd heddiw at ei gilydd, mae'n anodd disodli'r canfyddiad mai gwaith gwragedd yw gwaith plant bach!) yn dysgu Cymraeg yn y boreau, yna, ar fore Gwener bydden nhw'n dilyn cwrs gofal ac addysg plant bach, wedi ei ddilysu (os cofiaf gan y National Nursery Examination Board neu'r NNEB). Roedd hwn yn gynllun dyfeisgar a blaengar a thrwyddo cafwyd cyflenwad o bobl gymwys i redeg Cylchoedd newydd.

Dyma rai o'm hatgofion wrth edrych yn ôl. Ond adeg i edrych ymlaen yw hi nawr ac rwyf wrth fy modd yn gallu dweud bod plant fy mhlant bellach wedi elwa o gyfoeth Mudiad Meithrin. Nid yn Nhalgarreg ond yn Nhrelái a Threlewis.

1976–1988: TO EXPAND AND SUSTAIN

Siân Wyn Siencyn, former Director, South Wales, remembers how in 1976 she set up a Cylch in Talgarreg for six children, in a time when volunteering in the Ysgol Feithrin was considered almost to be a stint of 'national service' for ardent Welsh-speakers. Then in 1980, with a grant from the EU, she undertook a study of the methodology of second language in the Cylchoedd. Of all the projects, her passion was the inclusion of children with additional learning needs in the Cylchoedd. While this had been the case from the start, it became more formalised following the Warnock Report of 1978 and she remembers the inspirational leadership of Ifanwy Williams as Chair of Mudiad's Special Needs Committee. In the course of this work, Siân recalls coming across the pitiful ignorance of many professionals who advised that such needs could only be catered for in English.

She ends by looking towards the future and is delighted to see how her children's children are now benefiting from the work of Mudiad Meithrin, though not in Talgarreg, but in Ely and Trelewis.

O LANNAU'R FENAI I LESOTHO

Ceinwen Davies: Cyn-gyfarwyddwr y Gogledd

Yn 1968 daeth criw ohonom yn rhieni plant ifanc at ein gilydd ym Mhorthaethwy i sefydlu Ysgol Feithrin. Fe'i cynhaliwyd yn Ysgoldy Capel Mawr gydag Alwena Davies, sy' nawr yn byw yng Nghricieth, yn athrawes. Yna yn 1971, daeth cais oddi wrth y Pre-school Providers Association (PPA) oedd yn trefnu meithrinfa yn Eisteddfod Genedlaethol Bangor am help i edrych ar ôl y plant. Yn ystod yr wythnos dyma fynychu'r cyfarfod tyngedfennol lle penderfynwyd sefydlu Mudiad Ysgolion Meithrin.

Mair Jenkin Jones oedd un o'r tair Swyddog Datblygu cyntaf i gael eu penodi. Roedd hi'n gyfrifol am yr hen Wynedd i gyd, a oedd yn ardal eang ac yn cynnwys Conwy ac Ynys Môn bryd hynny. Gofynnodd i mi a fuaswn yn fodlon bod yn Swyddog Cyswllt ym Môn am chwe awr yr wythnos. Cytunais, er fy mod yn athrawes yn Ysgol Feithrin y Borth ar y pryd, hefo pedwar o feibion ifanc a heb basio fy mhrawf gyrru hyd yn oed! Teithio ar y bws cyn belled â Chaergybi ac Amlwch fu hi am rai misoedd. Saith o Ysgolion Meithrin oedd ym Môn cyn sefydlu'r Mudiad, ond yn fuan iawn cynyddodd hyn i dros saith deg.

Gwaith pleserus oedd trefnu arddangosfeydd y Mudiad mewn digwyddiadau cenedlaethol oedd yn

Ceinwen Davies ar ei hymweliad â Lesotho

cael eu cynnal neu eu noddi gan siroedd y Gogledd. Fe fyddai holl blant bach a staff y Cylchoedd wrthi am wythnosau yn llunio gwaith crefft ar thema arbennig. Wedyn byddai dyddiau o weithio gyda Swyddogion Datblygu a gwirfoddolwyr i osod popeth yn ddeniadol yn ei le, a'r boddhad o weld y canlyniad chwaethus a deniadol. Mor braf oedd gweld plant a phobl yn edmygu'r arddangosfa, yn enwedig y plant bach a fu wrthi'n creu'r gwaith a'u rhieni balch.

Y tro trwstan gwaethaf i mi gofio wrth weithio i'r Mudiad oedd un tro adeg y Sioe Amaethyddol. Wedi gyrru'n ôl i'r Gogledd mewn fan fawr wedi'i llogi i gasglu mwy o gelfi a dod yn ôl i Lanelwedd yn hwyr iawn y nos, dyma fynd ar goll wrth yrru i fy llety gan fod canol Llanfair-ym-Muallt wedi ei gau i draffig. Canfod fy hun yng nghanol y wlad na wyddwn i ym mhle, yna'r fan yn mynd yn sownd ... Dyma weld golau ffermdy a chodi stondinwr o'i wely oedd yn aros yno a diolch iddo am fy achub!

Os oedd yr un daith honno drwy ganolbarth Cymru yn helbulus, ces fraint fawr o gael teithio'n hwylus i wledydd eraill i gynrychioli'r Mudiad. Cofiaf fynd i gynhadledd ieithoedd lleiafrifol yn y Ffryslan, lle roedd Siân Wyn Siencyn yn un o'r siaradwyr. Yna, cofiaf yn dda gael teithio i Iwerddon i ymweld â'u Cylchoedd hwy ac i Ynysoedd yr Alban i gyflwyno hyfforddiant i arweinyddion y Cylchoedd yno. Braf wedyn oedd cael cynnig lletygarwch i'r rhai fu'n ymweld â ni yma.

Y wlad bellaf o lawer i mi ymweld â hi oedd Lesotho. Yn 1991 cyflwynodd y Mudiad siec o £20,000 i O.T. Sefako o Dolen Cymru Lesotho, a godwyd gan y Cylchoedd Meithrin yng Nghymru yn dilyn ymgyrch canu hwiangerddi 'Cymru'n Canu Dros Lesotho'. Daeth Refiloe Mofolo, Swyddog Addysg Plentyndod Cynnar yn Lesotho, yma yn 1992 a chefais ei chwmni yn ein cartref am rai dyddiau a mynd â hi o amgylch Cylchoedd Meithrin yn y Gogledd. Roedd wedi gwirioni hefo'r ardal ac yn ei gweld yn debyg iawn i Lesotho.

Cefais brofi hyn fy hunan y flwyddyn ddilynol a chael aros ar ei haelwyd hithau. Cafwyd ymweld â Chylchoedd ar draws y wlad a gweld sut roedd peth o arian y Mudiad wedi cael ei wario a pha gynlluniau pellach oedd yn yr arfaeth. Roedd ymroddiad yr arweinyddion yno y tu hwnt i'r disgwyl - teithio ar droed, mewn faniau neu ar gefn lori i hyfforddiant yng nghefn gwlad. Cefais wahoddiad i gyflwyno sesiwn yma a dyma benderfynu cael un hwyliog

oedd yn cynnwys llawer iawn o symud gyda Refi'n cyfieithu.

Rhoddodd y chwe awr yr wythnos cychwynnol flas i mi ar weithio gyda mudiad mor arloesol ac mor bwysig i hybu'r iaith Gymraeg, ac i hyrwyddo datblygiad plant bach. Bu'n fraint cael gweithio i'r Mudiad hyd fy ymddeoliad yn 2003. Mae'n dal i fynd o nerth i nerth ac wedi gorfod addasu llawer dros y blynyddoedd ond mae'r weledigaeth yn dal yn glir a'r angen yn dal yno i annog mwy o deuluoedd i gyflwyno'r Gymraeg i'r genhedlaeth nesaf.

Pob dymuniad da i wireddu hyn.

FROM THE MENAI STRAITS TO LESOTHO

In 1968, Ceinwen Davies remembers how a group of parents got together to set up an Ysgol Feithrin in Porthaethwy (Menai Bridge). Then one day she was approached by Mair Jenkin Jones to become a Liaison Officer for Anglesey, and even though she couldn't drive, she took up the challenge, travelling by bus the length and breadth of the island. The numbers grew from seven nursery schools to over 70. Of all her many happy memories, perhaps the clearest is of the contact with Lesotho, when in 1992 Refiloe Mofolo, Lesotho's Early Years Education officer came to Wales, and then in 1993 the opportunity came to return the visit to learn about the provision in Lesotho.

DIOLCH AM ALWAD FFÔN

J Cyril Hughes: Cyn-ysgrifennydd Ariannol

Pan gytunais, ar gais Ellen ap Gwynn a'i chyd-swyddogion, i wisgo mantell Ysgrifennydd Ariannol Mudiad Ysgolion Meithrin, ni feddyliais y byddai'r tymor gwreiddiol o ddwy flynedd yn ymestyn i gyfnod di-dor o chwarter canrif pleserus – a heriol ar brydiau. Gwyddwn fy mod yn anelu at lenwi esgidiau Emyr Jenkins a Bryn Lloyd a oedd wedi gwneud y gwaith caib a rhaw o osod y Mudiad ar seiliau ariannol a chyfreithiol cwbl gadarn. Yr her i'r gwas newydd fyddai cadw'r ceffyl a'r cart ar ganol y ffordd.

Wrth reswm, nid oedd y Mudiad a'i waith yn ddieithr yn ein tŷ ni. Roedd Margaret, fy ngwraig, yn aelod o'r Pwyllgor Gwaith canolog yn y dyddiau cynnar, a hi hefyd, maes o law, oedd un o'r gweithwyr cyflogedig fel Swyddog Datblygu Ceredigion. Yn ychwanegol, bu'n fawr ei gofal dros Gylch Meithrin Aberystwyth. Gofynnwyd i minnau am air o gyngor ar strwythur lywodraethol a gweinyddol y dyfodol. Rhan o'r cyngor hwnnw a arweiniodd at sefydlu swyddfa a phenodi Cyfarwyddwr.

Os oedd y seiliau wedi eu gosod yn ddiogel cyn fy nghyfnod, fe welodd y chwarter canrif nesaf, yn naturiol ac anochel, newid, datblygu ac ehangu y tu hwnt i bob dirnadaeth. Ffrydiodd nifer y Cylchoedd, agorwyd Meithrinfeydd Dydd, gwelwyd cynnydd yn nifer y gweithwyr cyflogedig a gwirfoddol fel ei gilydd. Datblygodd proffesiynoldeb ar bob gwastad a gwelwyd cynnydd cyfatebol yn y derbyniadau a gwariant ariannol.

O ganlyniad i'r twf a'r statws daeth galw cyson am fwy o gyfleusterau swyddfa, a daeth y Swyddfa Gymreig (cyn datganoli) ym mherson Wyn Roberts (yr Arglwydd Roberts wedi hynny) i'r adwy i'n galluogi i brynu pencadlys hwylus yng nghanol Caerdydd. Dilynwyd hynny yng nghyflawnder yr amser gan gyfnod o haelioni rhyfeddol gan lywodraeth ein Cymru ddatganoledig a Chronfa Ewrop i godi swyddfeydd a meithrinfa ddydd newydd sbon danlli yn Aberystwyth, a chanolfannau eraill ledled y wlad.

Yn dilyn y setliad datganoli i Gymru fe blannwyd rhyw hyder newydd ac ysbryd mwy anturus yng nghalonnau llawer ohonom oedd wedi breuddwydio am wawr rhyddid a mwy o lais yn ein gwlad ein hunain. O'r ochr ymarferol yr oedd y penderfyniadau yn nes atom a'r bobl mewn grym yn ein deall ac yn gwerthfawrogi ein hanghenion a'n dyheadau. Yng ngwres yr hyder newydd bu'r syniad yn troi yn fy mhen ers tro ei bod yn hwyr glas i ddwys ystyried symud ein prif ganolfan o'r briffddinas i ganolbarth Cymru. Wyddwn i ddim sut y byddai'r Swyddogion a'r Ymddiriedolwyr yn ymateb i syniad a allai ymddangos yn un anymarferol, neu, gwaeth fyth, yn un cwbl annoeth.

Daeth y cyfle i fesur gwres y dŵr a synhwyro cyfeiriad y gwynt yn annisgwyl a dirybudd mewn cyfarfod o'r Pwyllgor Gwaith pan grybwyllwyd y posibilrwydd o symud o Gaerdydd i Fro Morgannwg gyda golwg ar agor meithrinfa ddydd ar yr un safle. Wedi taflu bwcedaid go lew o ddŵr oer ar y syniad hwnnw, dyma ddadlau, gan ein bod yn amlwg ddigon yn barod i ystyried symud ein stondin, y dylid edrych ar yr holl fater mewn goleuni newydd. Dyna a wnaethpwyd. I dorri stori hir yn fyr, gwnaed ymchwil a syrthiodd y goelbren ar Aberystwyth.

Diolch i lafur diflino a gweledigaeth glir y Prif Weithredwr, Hywel Jones, a'i gydweithwyr - heb anghofio cefnogaeth hael Llywodraeth Cymru a Chronfa Ewrop - fe drodd y freuddwyd yn ffaith. Mae diolch arbennig yn ddyledus i un aelod o'r staff, Harri Jones, am arolygu a chydlynu'r agweddau ymarferol ac ariannol sylweddol iawn.

Daw ambell dro digri i'r cof, fel y brawd a deithiodd bellter ffordd i gyfweliad am swydd allweddol a threulio ei amser yn ein cynghori ni sut orau i redeg y Mudiad! Dro arall gwrthodai un ymgeisydd ifanc dderbyn mai fel gwirfoddolwr yr oeddwn i'n cadeirio'r panel cyfweld, a phan bwysleisiais nad oeddwn yn cael fy nhalu, ei hymateb 'cwrtais' oedd: 'Mae'n siŵr dy fod ti.'

Hen hanes yw'r cyfan yna bellach, a daeth yn amser i'r Mudiad edrych ymlaen a bod yn barod a chymwys i wynebu byd heriol ac ansicr. Y cyfan y medraf ei wneud yw dymuno pob llwyddiant i'r fenter yn lleol a chenedlaethol. Parchu'r hyn a wnaed gan yr arloeswyr a chadw llygad ar y neges graidd a gwrthod pob temtasiwn i ddilyn ambell drywydd a ymddengys yn ddeniadol ym mrwdfrydedd y foment sydd raid yn awr. Bydded llwyddiant i sefydliad sydd yn un o sylfeini dyfodol ein hiaith genedlaethol. Rwy'n trysori'r profiadau a ddaeth i'm rhan a chyfeillgarwch y llu o bobl o bob rhan o Gymru y cefais y fraint o'u cwmni a'u cyfeillgarwch dros gyfnod a gyfoethogodd fy mywyd. Diolch i Ellen ap Gwynn am ei galwad ffôn.

ONE PHONE CALL AND 25 YEARS LATER ...

J Cyril Hughes, former Financial Secretary, remembers receiving a phone call asking if he would consider acting as the Financial Secretary for the Mudiad for a period of two years. Twenty-five years later he was still volunteering for Mudiad, in what he describes as being a pleasure if sometimes a challenge. Pre-devolution, Wyn Roberts (later Lord Roberts) was very supportive, making it possible to buy headquarters in Cardiff. Post-devolution, the support continued both from the Welsh Government and Europe. Growing in confidence, he remembers how the HQ eventually moved to Aberystwyth. He treasures his time with Mudiad and the friendships he forged there and wishes it every success both locally and nationally.

GWIREDDU BREUDDWYDION

Hywel Jones: Cyn Brif Weithredwr

Bûm yn ffodus drwy gydol fy ngyrfa i allu gweithio trwy gyfrwng yr iaith Gymraeg; yn gyntaf yn Ysgol Penweddig, yna yng Ngwersyll yr Urdd, Glan-llyn. Cafodd y ddau blentyn fagwrfa Gymraeg a Chymreig, a'u danfon nhw i'r Cylch Meithrin mae'n siŵr gen i oedd fy ymwneud cyntaf â'r Mudiad.

Be' sy'n aros yn y cof? Wel, sawl peth, am wn i. Pan ddechreuais weithio i'r Mudiad, tŷ teras yn 147 Albany Road oedd y 'pencadlys', gyda llai na deg o staff yn gweithio oddi yno. O'm hymwneud â datblygu Glan-llyn, roedd gennyf rywfaint o brofiad codi arian, a buom yn llwyddiannus ag ambell ymgyrch, ac roedd hyn yn bwysig gan mai gweddol dlawd oedd y Mudiad adeg hynny. Cofiaf ennill grant o Gronfa'r Loteri Genedlaethol o dros £200,000 i ddatblygu adnoddau ar gyfer y Cylchoedd. Cofiaf wedyn y daith feics fythgofiadwy gyda Dei Tomos yn teithio o Gaerdydd i Fangor a Banc Barclays yn rhoi punt am bunt i chwyddo'r coffrau. Y syniad oedd teithio o'r pencadlys yng Nghaerdydd yr holl ffordd i Fangor lle cynhaliwyd Eisteddfod 1971, sef y man lle cynhaliwyd y cyfarfod a benderfynodd fod angen sefydlu Mudiad yr Ysgolion Meithrin fel mudiad cenedlaethol. Cawsom gwmni sawl person adnabyddus ar y ffordd; yn eu plith Shân Cothi, a feiciodd o Ffarmers yr holl ffordd i Aberystwyth.

Ychydig iawn o droeon trwstan sy'n dod i'r meddwl, diolch i'r drefn. Er, rwy'n cofio cyfarfod 'sefydlu Hywel Jones' yn y Trewydden Arms yn Llanidloes, a dwy swyddog datblygu yn dod o'r De ac yn treulio oriau yn chwilio yn ofer am y cyfarfod yng ngwestai Llandeilo!

O ran heriau, heb os yr her fwyaf oedd trawsnewid y Mudiad pwysig hwn, a'i bencadlys yng Nghaerdydd, pencadlys nad oedd nifer helaeth o staff y Gogledd erioed wedi ei weld, heb sôn am ymweld ag ef, i fod yn fudiad modern â phrif swyddfa yn ganolog i gefnogi staff yn electronig ac yn bersonol, gan ddod â dulliau rhyngweithio o'r radd flaenaf i bob un o'r staff.

Llwyddwyd i ddenu oddeutu £500,000 gan y Llywodraeth i brynu swyddfa fodern, hygyrch, ym mharc busnes Pontprennau, Caerdydd, (swyddfa a ddaeth yn swyddfa ranbarthol y De-ddwyrain maes o law), fel dechreuad i'r gwaith. Y dasg fwyaf wedyn oedd perswadio holl aelodau Bwrdd Rheoli'r Mudiad nad Caerdydd oedd y lleoliad gorau ar gyfer prif swyddfa Cymru gyfan. Llwyddwyd ar ôl cryn drafod, a chefnogaeth diwyro un gŵr arbennig, sef J Cyril Hughes, i gael caniatâd i chwilio am gyllid i brynu neu godi prif swyddfa yn Aberystwyth. Roedd yn sialens enfawr. Bu'n rhaid ceisio denu cyllid 50% o gronfa Amcan Un, wedyn arian sylweddol o Awdurdod Datblygu Cymru (neu'r WDA fel y'i gelwid yn aml) a darn o dir am ddim oddi wrth Gyngor Sir Ceredigion. Perswadiwyd y pensaer Harri James o Aberystwyth i dynnu cynlluniau 'ar risg', a chyda sêl bendith y Llywodraeth a'r Mudiad aed ati. Rhaid talu teyrnged i Harri arall, Harri Jones y tro hwn, am ei waith yn y Mudiad yn cynorthwyo i godi arian, a llawer o waith goruchwylio ar yr adeiladu. Yn y diwedd, llwyddwyd i gasglu £3m ynghyd i godi'r adeilad, a thrwy hynny sefydlu Canolfan Integredig Gymraeg gyntaf Cymru.

Un freuddwyd arall roeddwn yn daer i'w gwireddu oedd sefydlu meithrinfa fel rhan o'r Brif Swyddfa, ac ar ôl llawer iawn o drafod gyda'r Gwasanaethau Cymdeithasol, cofrestrwyd meithrinfa Camau Bach ar gyfer 120 o blant. Eisoes roedd y Mudiad wedi prynu hen feithrinfa o'r enw Ysgol Fach Ni yn Aberystwyth, yn dilyn ymbil taer gan Gyngor Ceredigion. Meithrinfa mewn trafferthion ariannol oedd hon ac felly trosglwyddwyd disgyblion Ysgol Fach Ni i feithrinfa newydd Camau Bach. Rhaid oedd dodrefnu'r adeiladau, ond llwyddwyd i godi cyfanswm o filiwn o bunnoedd gyda haelioni swyddogion y Llywodraeth i ddodrefnu'r swyddfa a'r feithrinfa, ac i brynu'r offer cyfathrebu mwyaf diweddar i hwyluso rhyngweithio mewnol a chenedlaethol angenrheidiol.

Amod o sefydlu Canolfan Integredig oedd sefydlu Canolfan Hyfforddi, ac yn wir roedd ei heisiau er mwyn gallu diwallu'r angen am ymarferwyr allai weithio trwy gyfrwng y Gymraeg ledled Cymru. Trwy gais i Lywodraeth Cymru, a chefnogaeth swyddog o'r enw Alan Lansdown, llwyddwyd i ddenu oddeutu £2m y flwyddyn er mwyn sefydlu a rhedeg cynllun hyfforddi cenedlaethol. A dyna ddechrau cynllun a chwmni hynod lwyddiannus Cam wrth Gam, a hyfforddai 300 o staff newydd i lefelau 2 a 3 GGC/NVQ yn flynyddol i weithio mewn Cylchoedd ledled Cymru.

Nid dyna ddiwedd yr adeiladu fodd bynnag. Mewn cydweithrediad â Chyngor Ynys Môn a chronfa Amcan Un eto, codwyd adeilad heb fod nepell o Goleg Menai, Llangefni, i ddarparu gofal plant ar gyfer 60 o blant, a swyddfa ranbarthol arall i staff y Gogledd-orllewin.

Yn olaf, llwyddwyd i ddenu rhagor o arian i brynu swyddfa ranbarthol fechan yn Wrecsam, gan gwblhau'r rhwydwaith genedlaethol hon.

Does dim dwywaith yn fy meddwl i mai codi proffil y Mudiad yn lleol, yn rhanbarthol ac yn genedlaethol, gan apwyntio tîm o staff galluog ac ymroddedig ar draws ein gwlad, yw'r gwaddol pwysicaf i mi ei adael i'r Mudiad a gyfrifaf y pwysicaf ymysg y mudiadau sy'n gweithio er dyfodol yr iaith Gymraeg yn ein gwlad.

Mae gennyf ddyfyniad gan W H (Bill) Raybould, a oedd yr adeg honno'n Gyfarwyddwr Pwyllgor Datblygu Addysg Gymraeg, am y Mudiad: 'heb os, y mudiad pwysicaf er sicrhau dyfodol yr iaith Gymraeg'. Dyna ddyn oedd wedi'i gweld hi!

Wrth edrych ymlaen at yr hanner can mlynedd nesaf ym mywyd y Mudiad, fy nyhead yw ei weld yn parhau i dyfu a chryfhau, er mwyn parhau i ddiwallu'r angen yn lleol am siaradwyr bach Cymraeg ymhob rhan o Gymru.

REALISING DREAMS

Hywel Jones, a former Chief Executive, concludes his recollections of working for Mudiad with the words of W H Raybould who was then Director of the Welsh Education Development Committee: 'Without doubt, the most important movement for securing the future of the Welsh language'. For Hywel Jones they hit the nail on its head. He recalls starting work from a terraced house in Albany Road, Cardiff, and ending in a purpose-built HQ in Aberystwyth, an integrated centre with an attached Cylch and facilities for training people to levels 2 & 3 NVQ, and with regional centres in Anglesey, Wrexham and Cardiff. His greatest desire is to see the growth and development continue for the next 50 years.

RHOI'R PLENTYN YN Y CANOL

Rhianwen Huws Roberts: Cyn-gadeirydd (ddwywaith!)

Roeddwn yn byw yn yr Wyddgrug pan sefydlwyd Mudiad Ysgolion Meithrin. Roedd ysgol Gymraeg yno yn barod, a theimlad nifer o rieni ifanc oedd y byddai sefydlu Cylch Meithrin i'n plant ac i'r ysgol yn fanteisiol. Felly fe ddaeth nifer ohonom at ein gilydd i drafod y posibilrwydd. Mewn ychydig amser roedd gennym le cyfarfod sef Canolfan Daniel Owen, arweinydd sef Mrs Urwin (Cymraes famol gyda digon o amynedd a syniadau) ac, wedi nosweithiau coffi dirifedi a cheisiadau am nawdd gan y cyngor lleol ayb, roedd gennym ni hefyd arian i brynu offer.

Doedd y cyfnod cynnar ddim heb ei broblemau, a chofiaf sut y daeth y Cyfarwyddwr ar y pryd, Mr Hywel Roberts, atom ryw nos Sul i ddatrys un ohonynt ac i'n sicrhau bod y Mudiad yn gefn inni.

Credaf mai saith o blant oedd yna ar y cychwyn. Fy merch Dwynwen oedd yr unig ferch yng nghanol chwech o fechgyn. Pan euthum i'w nôl o'r cylch un bore dyna lle'r oedd wedi paentio ei dwy fraich yn gyfangwbl. Bobol mawr am olwg! Cyn hynny doedd hi ddim yn hoffi maeddu ei dwylo!

Roedd hi'n her ond hefyd yn fraint cael bod yn Gadeirydd a hynny ar adegau cyffrous yn hanes y Mudiad (2004–6 a 2008–10). Roedd Canolfannau Integredig yn cael eu sefydlu, y bartneriaeth gydag adrannau'r Blynyddoedd Cynnar mewn siroedd yn datblygu, ac felly hefyd y cysylltiad gyda'r Llywodraeth.

Cefais ymdeimlad o falchder o fod yn rhan o'r Mudiad wrth fod yn aelod o'r is-bwyllgor Ansawdd a Hyfforddiant. Roedd hyfforddiant yn bwysig a byddai nifer dda o addysgwyr y Blynyddoedd Cynnar yn cyfarfod yn rheolaidd i lunio dogfennau ar destunau amserol a pherthnasol. Yn aml cynhelid cyrsiau i gyflwyno'r cynlluniau hyn.

Braint hefyd oedd cael mynd ar ymweliad gyda Carys Davies a Iola Jones â Reggio Emilia yn yr Eidal i gael profiad o'u dull hwy o addysgu ac i'w hefelychu lle roedd hynny'n berthnasol. Yn y cyfnod yma y ganwyd Dewin, a chofiaf yn dda y cyfarfod bywiog pan benderfynwyd mabwysiadu'r cymeriad newydd hwn i blant y Mudiad.

Mae'r gwaddol i Gymru yn ogystal â fy ardal leol yn glir: dyma fudiad sy'n rhoi'r plant yn y canol a sicrhau bod pob un ohonynt yn cael y gofal a'r addysg orau a hynny trwy gyfrwng y Gymraeg.

THE CHILD IN THE CENTRE

Rhianwen Huws Roberts, former Chair (twice!) lived in Mold when Mudiad Ysgolion Meithrin was born. A group of parents decided to form a Cylch for the benefit of their children and to support the existing Welsh-language school. Seven children enrolled, Rhianwen's daughter being the only girl. During her time as Chair several exciting things happened, including, for example, the development of the Integrated Centres, the partnership with the Early Years departments in various counties and with the Government too. It was a special pleasure to visit Reggio Emilia in Italy with Carys Davies and Iola Jones to see the way they worked and apply what had been learnt back home.

O ANGHENION ARBENNIG I GYNHWYSIANT

Elaine Senior: Cadeirydd Is-bwyllgor Cynhwysiant

Fe fues i'n ymwneud â'r is-bwyllgor Anghenion Arbennig am dros 20 o flynyddoedd fel aelod, ac wedyn fel Cadeirydd, ar ôl dilyn Gwenno Hutchinson, a fu'n weithgar gyda'r Mudiad am flynyddoedd lawer.

Roedd llawer o waith yr is-bwyllgor ar y pryd yn ymwneud â chadw golwg ar y maes yn genedlaethol, a chefnogi'r gwaith oedd yn mynd ymlaen yn y Cynlluniau Cyfeirio a'r siroedd. Roedd cynnydd yn y nifer o blant ag anghenion arbennig bob blwyddyn. Un o'r ymgyrchoedd mwyaf yn y dyddiau hynny oedd ceisio gwella darpariaeth therapi lleferydd trwy gyfrwng y Gymraeg. Arweiniodd hyn yn y pendraw at gyhoeddiad gan Lywodraeth Cymru o'r enw *Gweithio Gyda'n Gilydd*.

Ces i fy syfrdanu gan weithgarwch a brwdfrydedd yr holl staff, cysylltwyr y Cynlluniau Cyfeirio a'r cynorthwywyr Dwylo Ychwanegol oedd yn ymwneud â'r plant yn y Cylchoedd. Rhaid diolch am gyfraniadau Dorothy Clowes, a'r diweddar Meirion Lewis o'r Rhondda, a'r ddiweddar Eirlys Peris Davies. Roedd Eirlys yn gysylltiedig â'r Mudiad o ddyddiau cynnar iawn yn ei hanes. Fe ddaeth yn Swyddog Datblygu Penfro yn 1988, ond daeth yn Gysylltydd Cynllun Cyfeirio Penfro yn 1991. Cyfrannodd yn helaeth at waith Anghenion Arbennig yn lleol, yn daleithiol, ac ar lefel genedlaethol trwy ei chyfraniad i'r is-bwyllgor.

Cawsom arian yn flynyddol gan Gronfa Plant Mewn Angen y BBC am nifer o flynyddoedd, a mawr oedd ein dyled iddynt. Ariannwyd llefydd i blant o deuluoedd difreintiedig yn ein cylchoedd ar draws Cymru gyfan am nifer o flynyddoedd. Hefyd, cawsom gyllid yn ddiweddarach ar gyfer cynnal hyfforddiant ar therapi cerdd ar gyfer y Cylchoedd oedd yn defnyddio cerddoriaeth i gynorthwyo plant ag anawsterau dysgu, awtistiaeth, a phroblemau ieithyddol, emosiynol ac ymddygiadol. Cafwyd cyllid pellach ar gyfer hyfforddiant ar Anhwylderau Sbectrwm Awtistiaeth.

Newidiodd enw'r is-bwyllgor o Anghenion Arbennig i Gynhwysiant yn 2006. Roedd yr is-bwyllgor wedi sôn am nifer o flynyddoedd eu bod am weld gweithiwr ym maes cynhwysiant ar lefel cenedlaethol achos cyn hynny roedd y gwaith pwysig hwn yn cael ei gyflawni fel rhan o swydd arall gan Heather Davies Rollinson fel Cyfarwyddwr Talaith. Felly, yn 2006, penodwyd Siân Owen i fod yn Gyfarwyddwr Cynhwysiant. Roedd hwn yn benodiad pwysig. Fe ddaeth Siân atom fel chwa o awyr iach, ac aethpwyd ati i ddechrau casglu'r wybodaeth ddiweddaraf am y maes cyn trefnu hyfforddiant a chwrdd ag asiantaethau eraill oedd yn gweithio yn y maes, gan gynnwys Awtistiaeth Cymru ac Asthma Cymru.

Yn ystod 2002–3, cynhaliwyd cyfarfod rhwng holl Gysylltwyr y Cynlluniau Cyfeirio er mwyn trafod strategaethau a chyfeiriad y gwahanol gynlluniau. Fe dyfodd y cyfarfod hwn yn dra phoblogaidd dros y blynyddoedd. Roedd y Cysylltwyr yn gwneud cymaint o waith aruthrol yn y Cynlluniau ac yn eu hardaloedd, ond pan ddaethant i'r cyfarfodydd, roedd yn gyfle iddynt drafod gyda'u cyd-weithwyr. Aeth Siân ati i drefnu hyfforddiant neu siaradwr gwadd i bob cyfarfod. Cawsom lawer o hwyl a thyfodd cyfeillgarwch ymysg yr aelodau i gyd o Gymru benbaladr. Yn sgil hyn, cyhoeddodd Siân *Cyswllt* er mwyn rhaeadru newyddion i'r staff.

Oherwydd ein nod o gynnwys pob plentyn i mewn i'n Cylchoedd, roedd llawer o drafodaethau ynglŷn â beth yw gwir ystyr cynhwysiant, ac allan o hyn, awgrymwyd edrych am lyfrau addas oedd yn portreadu cynhwysiant. Cafodd *Odl-Dodl Pobl*, oedd yn portreadu plant a phobl ag anghenion amrywiol, ei gyhoeddi yn 2007, ac roeddem yn ddigon ffodus i gael grant er mwyn rhoi copi i bob Cylch

Meithrin. Cawsom ddiwrnod bendigedig yng nghwmni'r Fonesig Tanni Grey-Thompson, a'r artist José Solis. Darllenodd Tanni y stori i blant Cylch Meithrin Salem, Treganna, Caerdydd i lansio'r llyfr. A gwnaeth Nicci Bee, aelod o dîm rygbi cadair olwyn Para Olympaidd Prydain, yr un peth ym Mhenygroes yn y Gogledd yng nghwmni'r awdur Gwion Hallam. A hefyd, yn 2012, gyda chwmni Atebol, cyhoeddwyd fersiwn Gymraeg o lyfr yr awdur Americanaidd Todd Parr *It's Okay to Be Different*, sef *Mae'n Iawn Bod yn Wahanol*, oedd yn dangos bod pawb yn gallu cael eu derbyn beth bynnag yw eu cefndir, eu hil a'u hiaith.

Diolch enfawr i'r holl staff, yn enwedig Siân, Cysylltwyr y Cynlluniau Cyfeirio a'r holl rieni a gwirfoddolwyr ac aelodau'r Is-bwyllgor am eu cyfraniadau dros y blynyddoedd yn y maes pwysig - ac arbennig - hwn.

FROM SPECIAL NEEDS TO INCLUSION

Elaine Senior was involved with Mudiad's inclusion sub-committee (and its forerunner) for twenty years, as a member and then as its Chair. She remembers various campaigns such as the one to improve the provision of speech therapy through the medium of Welsh and the shift from 'special needs' to 'inclusion'. She notes the enthusiasm and hard work of all Mudiad staff and recognises the importance of collaborative projects with other organisations. She ends on a note of sincere gratitude to all Mudiad staff, parents and volunteers and fellow committee members for all their contributions to this important – and special – area of work.

Cylch Meithrin
Caergybi 1970

mudiad meithrin 50
arbenigwyr y blynyddoedd cynnar ers 1971
Welsh early years specialists since 1971

Carnifal Llandrillo 1980au cynnar

Cylch Meithrin Dyffryn Banw - Parti Piws 2019

Annette Thomas (wedi gwisgo fel arth!) yn diddanu plant Cylch Meithrin Clydach

Cylch Meithrin Deiniolen Haf 1979

83

Cylch Meithrin Llechyfedach yn sioe Eisteddfod Genedlaethol Cymru Llanelli a'r Cylch 2000

Cylch Meithrin Llandrindod Gorffennaf 1980

Cylch Meithrin Llandegfan 1983

Cylch Meithrin Machynlleth Nadolig 1982

Cylch Meithrin Llangwyryfon yn yr 1980au cynnar

Cylch Meithrin Penrallt Llangefni

Cylch Meithrin Penrhosgarnedd Nadolig 1985

Cylch Meithrin Llanllyfni 2017

Ysgol Feithrin Pontypŵl a'r Fari Lwyd Ionawr 2019

Cylch Meithrin Rhiwbeina 1972

Cylch Meithrin Yr Eifl
– agoriad 23.11.1971

Cylch Meithrin Wrecsam yn
dathlu 10 mlynedd Mudiad
Meithrin 1981

Cylch Meithrin Rhuddlan 1975

Cylch
Meithrin
Y Diwlith
Maesteg
1983

Cylch Meithrin Llandrillo – y cyfarfod olaf yn hen ysgoldy'r eglwys 1980

Cylch Meithrin Aberffraw 1975

Cylch Meithrin Bancffosfelen

Cylch Meithrin Rhuddlan yn dathlu 40 mlynedd 2015

Ysgol
Feithrin
Llanwrtyd

Cylch Ti a Fi Croesoswallt 2018

Cylch Meithrin Ardudwy a Thalybont 1993

mudiad
meithrin
arbenigwyr y blynyddoedd cynnar ers 1971
Welsh early years specialists since 1971

EIN MEITHRIN NI

OUR MEITHRIN

Siôn Tomos Owen: Llysgennad

Roeddwn i'n browd iawn i gael fy ngofyn i fod yn un o lysgenhadon cyntaf Mudiad Meithrin, nid yn unig oherwydd y gwaith amhrisiadwy mae'n ei wneud, ond hefyd o achos y lle cynnes sydd gan y Mudiad yn fy nghalon, o 'mhrofiadau i fel plentyn a gyda fy mhlant fy hunan.

Yn yr 1980au yng Nghwm Rhondda, prin oedd cochyn bach gwyllt oedd yn byw lan y mynydd yn clywed y Gymraeg tu allan i'r aelwyd, ond hefyd, pan oedd yn siarad, roedd Mam yn siarad iaith y Gogledd a Mam-gu yn siarad y Wenhwyseg, felly roedd y Meithrin yn lloches, a man i sefydlu fy acen os nad dim byd arall! Gyda phob 'Bore da, blantos', 'Da-bo!' ac 'Amser mynd sha thre' dyddiol, roedd yn codi fy hyder i siarad gyda mwy a mwy o blant ac oedolion yn y Gymraeg. Erbyn heddiw mae ail a hyd yn oed drydedd genhedlaeth o blant a rhieni wedi croesi trothwy Cylchoedd Meithrin yn y Rhondda Fawr a'r Fach ac mae'r pleser o glywed plant yn siarad Cymraeg gyda'i gilydd, yna gyda'u rhieni wrth adael, yn rhywbeth sbesial iawn i mi.

Ond mae gwaith pwysig ac effaith hirdymor Mudiad Meithrin yn amlwg wrth glywed y rhieni hefyd yn siarad Cymraeg *gyda'i gilydd* wrth gasglu eu plant. Dyna sy'n galonogol i mi. Gan feddwl bod nifer ohonom yn arfer 'talko Wenglish' gyda'n gilydd wrth deithio ar y bws ysgol uwchradd yn yr 1990au mae'r ffaith ein bod ni nawr yn sgwrsio'n braf, heb ots am dreiglo na defnyddio 'Cymraeg cywir', a bod ein plant yn clywed ei bod hi'n naturiol i siarad ein hiaith ar ôl gadael y Meithrin, yn newid mawr, yn enwedig yn yr ardal yma. Mae 'na drobwynt wedi digwydd, ac ar stepen drws y Cylch Meithrin yw ble dwi wedi gweld hyn fwyaf.

Dwi'n cofio clywed un fenyw oedd yn pasio drws y Cylch Meithrin ac yn siarad gyda'i phartner yn dweud, 'Mad innit? They so little but listen to 'em, they can flip back and forth and they understand English *and* speak Welsh at the same time. I didn't think they could actually do it but you can hear 'em by here, look ...'. Ddwy flynedd yn ddiweddarach, fe welais i'r un fenyw yn cerdded allan o'r Cylch Meithrin ac yn galw 'Da-bo, butt!' ar ôl ei mab. Mae pethau'n newid am y gorau ac mae'n bleser clywed y Gymraeg yn cael ei siarad *tu fas* i gatiau'r ysgol oherwydd gwaith caled y Mudiad i greu'r ethos cynnes yma yn y Cylchoedd, i'r iaith ffynnu ar dafodau trigolion, nid yn unig yng Nghwm Rhondda ond ar draws y wlad, yn un wneith bara ymhell ar ôl i ni ragori ar y 1,000,000 o siaradwyr Cymraeg.

Siôn Tomos Owen is proud to be one of Mudiad's first ambassadors because he recognises its invaluable work and is grateful for the experiences it offered him as a child as it does his own children. He perceives that the big change in the Rhondda is that Welsh is now 'normal' outside school, and it's all down to Mudiad Meithrin!

Shereen Williams: Llysgennad

Rwy'n dod o Singapôr yn wreiddiol ac yn fam i ddau fachgen sydd erbyn hyn yn yr ysgol gynradd.

Doedd hi ddim yn anodd dewis addysg Gymraeg i'n plant, ac mewn gwirionedd roedd yn rhywbeth roeddwn i ac Owain, fy ngŵr, wedi penderfynu arno cyn cael plant. Fy mhryder mwyaf oedd na fyddwn yn gallu eu cefnogi wrth iddynt dderbyn eu haddysg am nad oeddwn i'n siarad Cymraeg. Roedd fy ngŵr wedi siarad gyda phrifathro'r ysgol Gymraeg leol. Dywedodd wrtho na fyddai hynny'n broblem ac y bydden ni'n derbyn cefnogaeth fel teulu ar y daith hon.

Unrhyw bryd y byddai gen i bryderon neu ofidion fe fyddwn i'n cysylltu â'r ysgol ac fe fyddai'r staff wastad yno i'm cefnogi. Mae'r teuluoedd sy'n dewis anfon eu plant ar y llwybr hwn wedi gwneud penderfyniad gweithredol i fynd ar y daith hon gyda staff yr ysgol ac mae'r ymdeimlad o fod yn rhan o'r un tîm yn amlwg, nid yn unig o ran yr addysg ond hefyd o ran y rhyngweithio gyda rhieni.

Pen-blwydd hapus iawn Mudiad Meithrin! 50 mlynedd arbennig o gefnogi teuluoedd fel fy un i ar daith yr iaith Gymraeg. Mae'n dal yn destun rhyfeddod eich bod yn gallu trawsnewid teulu o fod yn ddysgwyr i siaradwyr mewn un genhedlaeth.

Shereen Williams, Ambassador, comes from Singapore, and she and her husband had decided on a Welsh education for their children even before they were born. Her greatest concern was that she would not be able to support them without the language, but school staff have been wonderfully supportive. She has been amazed at how the journey they travelled could transform a family from learning Welsh to speaking Welsh in one generation.

Y CYCHWYN GORAU

Atgofion Albert Leverett
Cylch Mornant, Picton, Sir y Fflint

Cychwynnais yn y Cylch Meithrin yn ddwy a hanner oed. Ar y pryd doedd fy rhieni ddim yn siarad Cymraeg adre. Felly roedd Cymraeg yn hollol newydd i mi. Dydw i ddim yn cofio llawer o bethau am fod yn y Cylch. Ond un peth sydd yn aros hefo mi ydy Anti Annwen gyda'i gitâr yn canu caneuon Cymraeg megis 'Dyma Tomos y Tanc'. Trwy fynychu'r Cylch Meithrin cychwynnais fy siwrne' drwy Addysg Cyfrwng Cymraeg. Dw i'n teimlo bod y Cylch wedi rhoi'r sylfaen i mi i allu siarad Cymraeg. Mae hyn wedi galluogi i mi astudio drwy'r Gymraeg hyd at fy ngradd mewn Addysg Gynradd ym Mhrifysgol Bangor.

Dw i'n teimlo'n gryf fod Cylchoedd Meithrin yn sylfaen hanfodol i bob plentyn wrth iddynt gychwyn eu siwrne' addysg. Mae'r Cylchoedd yn rhoi'r cychwyn gorau i bob un plentyn di-Gymraeg i alluogi iddynt ddysgu'r iaith. Mae'r Cylch yn agos iawn at fy nghalon ac ers i mi raddio rydw i wedi bod yn rhan o bwyllgor fy Nghylch Meithrin i sicrhau bod mwy o blant fy ardal leol yn cael yr un cyfle ag a ges i yn blentyn o gartref di-Gymraeg.

Albert Leverett feels that going to Cylch Meithrin at two and a half years old was the best possible start for him. His parents did not speak Welsh at home, yet he has been able to complete a degree in Education through the medium of Welsh and pursue his career. His fondest memory of the Cylch days is of Anti Annwen playing her guitar and singing all kinds of Welsh songs. He feels so passionately about the importance of the Cylchoedd Meithrin that he has served on his local Cylch committee since graduating.

Y CAMAU BYCHAIN, BREISION

Atgofion Angharad Mair
Festri Capel Heol Dŵr, Caerfyrddin

Un o ragflaenwyr arloesol Mudiad Meithrin oedd yr Ysgol Feithrin fechan y bûm i'n ddigon lwcus i'w mynychu yn y chwedegau cynnar yng Nghaerfyrddin, a ninnau fel teulu newydd symud o Lanelli. Hyd yn oed cyn sefydlu'r Mudiad yn swyddogol, roedd y weledigaeth o gynnig addysg feithrin Gymraeg yn arwain y gad. Roedd hi'n bedair blynedd yn ddiweddarach cyn i mi a'm cyfoedion flasu cyffro agor Ysgol y Dderwen ar ei safle pwrpasol cyntaf yn y dref. Roeddwn yn rhy hen i weld dechrau addysg uwchradd Gymraeg, wedi ffarwelio â dyddiau ysgol cyn agor drysau Bro Myrddin yn 1978. Ond roedd gan ddegau o blant bach y dre' ffrindiau bore oes, â'r Gymraeg yn sylfaen i'w cyfeillgarwch diolch i'r addysg gynnar honno yn yr Ysgol Feithrin.

Yr hyfryd Mrs MacWilliam oedd yn rhoi o'i hamser i'n cadw ni'n ddiddig, mewn cyfnod pan oedd y feithrinfa fach yn festri Capel Heol Dŵr yn gwbl ddibynnol ar wirfoddolwyr am eu hamser a'u harian. Nid felly mwyach, diolch byth, a llongyfarchiadau i Mudiad Meithrin sydd bellach yn 50 oed, nid yn unig am barhau â gwaith yr arloeswyr cynnar, ond am sicrhau bod camau bychain y plant meithrin yn gamau breision i'r iaith Gymraeg.

Angharad Mair yn Ysgol Feithrin Capel Heol Dŵr Caerfyrddin

The small giant steps in the vestry at Heol Dŵr, Carmarthen, under the enthusiastic care of Mrs MacWilliam, were the beginnings of **Angharad Mair**'s journey. In those days, before Mudiad was born, the little nursery school was completely dependent on volunteers for funds and their time. Angharad recognises how the provision has grown since then and feels that Mudiad deserves our warmest congratulations as it celebrates its 50th anniversary.

O GENHEDLAETH I GENHEDLAETH AC O LANDUDNO I GLOCAENOG

Atgofion Carys Gwyn
Rheolwr Talaith y Gogledd-ddwyrain a'r Canolbarth

Mae'n debyg nad ydy stori'n teulu ni'n wahanol iawn i nifer sydd â chysylltiadau mwy nag un genhedlaeth â'r Mudiad. Pan oeddwn i'n dair oed ac eisoes wedi cychwyn mynychu Ysgol Morfa Rhianedd yn Llandudno, bu Mam yn rhan o griw a sefydlodd Ysgol Feithrin Llandudno, gyda fy chwaer yn un o'r criw cyntaf i gael mynd yno yn 1970. Mae gen i frith gof o lithren yn cyrraedd y tŷ, a fi a'm chwaer yn cael bedyddio'r tegan adref cyn iddo fynd i'r Ysgol Feithrin!

Rysáit gwneud toes

Yn amlwg roedd hyn cyn sefydlu'r Mudiad yn 1971 a chafodd Mam y cyfle i rannu'r profiad o sefydlu'r Ysgol Feithrin hon gyda nifer o rai eraill yn y Gogledd-orllewin oedd â'r un meddylfryd ac awydd sicrhau'r cyfle i gymaint mwy o blant gael mynediad at wasanaeth Ysgol Feithrin.

Mae Mam yn cofio'n glir iddi fynychu'r cyfarfod yn Eisteddfod Genedlaethol Bangor, a'r cyfarfod wedyn yn Aberystwyth yn 1971 pan ddaeth y Mudiad i fodolaeth.

Bu Mam yn Llywydd Mudiad Ysgolion Meithrin Sir Gaernarfon rhwng 1972–4 ac mae cofnod o wahoddiad un o'r cyfarfodydd blynyddol gennyf. Does dim llawer wedi newid o ran ein neges, a'r siaradwyr gwadd yn ôl bryd hynny yn trafod 'Dysgu Iaith' (Miss Gwenllian

Ysgol Feithrin Llandudno

Lloyd Evans) a 'Gwerth Addysgol Ysgol Feithrin'
(Miss Gaenor Edwards).

Bryd hynny ychydig feddyliodd y ddwy ohonom y
byddwn i, ddeng mlynedd ar hugain yn ddiweddarach yn
2004, yn dod yn aelod o staff Mudiad Meithrin!

Ar ôl gwirfoddoli fel Trysorydd Cylch ac Ysgrifennydd
Pwyllgor Sir, cefais fy mherswadio i ymgeisio am swydd
Swyddog Cefnogi Sir y Fflint, cyn symud i fod yn
Gydlynydd dros siroedd Wrecsam, y Fflint a Dinbych
ac ymlaen yn Rheolwr dros y Gogledd-ddwyrain. Fodd
bynnag nid dyna ddiwedd stori ein teulu ni a'r Mudiad.

Bu i Manon, y ferch ganol, ddilyn cynllun hyfforddi Cam
wrth Gam pan oedd hi yn yr ysgol a chychwyn gweithio
fel aelod o staff dros dro mewn dau Gylch yn Sir y Fflint
i gael profiad. Aeth ymlaen wedyn i raddio o'r coleg ym
Mangor, ond roedd ei bryd yn dal ar weithio â phlant
ifanc a bellach mae'n arweinydd yng Nghylch Meithrin
Clocaenog yn Nyffryn Clwyd, cylch gwledig hyfryd gyda

**Tystysgrif
Cofrestru festri
Capel Deganwy
Avenue
Llandudno
fel lleoliad ar
gyfer ysgol
feithrin**

gwirfoddolwyr sydd wedi cydweithio â'r Sir a'r ysgol i
sicrhau lleoliad gwych ar gyfer y plant.

Mae sgwrs Nain ac wyres am blant bach y Cylch yn werth
chweil a llawer iawn o'r gweithgareddau a gynigir wedi
gwneud cylch cyflawn gyda'r pwyslais ar ddysgu trwy
chwarae yr un mor bwysig heddiw ag erioed. Rwyf wedi
darganfod nodiadau gan fy Mam ar sut i wneud toes, ac
wrth fynd drwy ei phapurau, sylwais ar y cofnod isod o
un cyfarfod yn ôl yn 1973:

Bu dau gyfarfod rhwng y P.P.A., Mudiad yr Ysgolion Meithrin ac Adran y Gwasanaethau Cymdeithasol – un yng Nghaernarfon a'r llall yn Llandudno. Yr un oedd y cwynion yn y ddau gyfarfod sef diffyg arian, hyd yn hyn does dim wedi dod i ni eleni oddi wrth y Gwasanaeth Cymdeithasol. Hefyd roedd yn amlwg fod rhai ysgolion yn talu'n drwm am fenthyg ystafelloedd ac eraill mewn ystafelloedd nad oedd mewn gwirionedd yn gyfleus – gorfod clirio popeth ar ôl pob cyfarfod oedd y gŵyn fwyaf. Pwnc llosg yng nghyfarfod Llandudno oedd yr iaith, yn wir roedd rhai yno'n credu nad oedd yr iaith yn gwneud unrhyw wahaniaeth …

Mae brwydrau a rhwystrau yn parhau hyd heddiw, ond yn sicr mae mwy o blant yn elwa, a'n teulu ni, fel cymaint o deuluoedd eraill Cymru, wedi bod ar ei ennill yn fawr, diolch i ymdrechion y Mudiad.

From generation to generation, and from Llandudno to Clocaenog, the family of **Carys Gwyn**, is not alone in its multi-generational connection to Mudiad. She recalls those early meetings as her mother worked to establish the local Cylch before eventually becoming county president. After working as a volunteer, Carys became a member of staff, first in Flintshire, until she became Regional Director of Mid and North-East Wales. After training through Cam wrth Gam and gaining experience in the field, her daughter, Manon, is now leader at the Cylch in Clocaenog. Although there are still challenges to face and difficulties to overcome, Carys is delighted that more children, like those in her own family, are benefiting from Mudiad's work.

'A OES HEDDWCH?' BWRLWM FFERM YR HAFOD

Atgofion Christine James
Cylchoedd Pen-y-bont ar Ogwr a'r Eglwys Newydd

'Pa atgofion sy 'da ti am y Cylch Meithrin ym Mhen-y-bont?' Daeth ateb fy merch yn ôl fel siot: 'Cwympo i ganol y danadl poethion pan aethon ni ar drip i'r fferm.' Daeth y prynhawn hir-anghofiedig hwnnw yn ôl o rywle: y chwerthin, y canu ('Gwartheg Fferm Yr Hafod yn brefu dros y lle ...'), y te picnic, ac wrth gwrs y rhagddywededig batshyn o ddanadl poethion a ddaeth â'r prynhawn hyfryd hwnnw i ben mewn dagrau mawr. (Un ddramatig fu Eleri erioed!)

Dwy ddrama Nadolig sy'n dod i gof mewn perthynas â'n meibion. Emyr yn un o'r Doethion, ond wedi diflasu gymaint ar eistedd gyhyd yn ei unfan nes ei fod yn dylyfu gên o hyd ac o hyd, heb yr un ymgais i geisio cuddio hynny! Ac Owain, ymhen blynyddoedd wedyn, yn chwarae rhan Joseff, yn cerdded mewn cylchoedd o gwmpas y stabal mewn ymgais i gael y baban Iesu i gysgu ... cyn ei daflu'n gwbl ddiseremoni i ganol gwair y preseb.

Mae'r atgofion hyn yn cyffroi llu o rai eraill: y Play-doh mewn gwallt ac o dan ewinedd, gwaith

crefft yn cynnwys tiwbiau papur tŷ-bach (cyn i'r rheiny gael eu gwahardd am resymau 'iechyd a diogelwch'), cyfeillgarwch personol yr athrawon a'r cynorthwywyr a'u hymroddiad. Oes, mae sawl llun yn mynnu canu yn y cof wrth ysgrifennu hyn.

A 'chanu' yw'r gair. Oherwydd, yn ogystal â'r sylfaen addysgol a'r sgiliau rhyngbersonol a roddodd Mudiad Meithrin i'm plant, rhaid imi gydnabod i mi fy hunan elwa'n fawr hefyd. Oherwydd fy magwraeth uniaith Saesneg, trwy weithgareddau'r Cylch Meithrin y dysgais lawer iawn o'r hwiangerddi a'r caneuon i blant sydd wedi cael eu canu drosodd a thro ar ein haelwyd ni - i'n plant ni, ac erbyn hyn i blant ein plant. Oni bai am y Cylch Meithrin, mae'n bosibl na fyddai gwartheg Fferm Yr Hafod wedi brefu yn ein tŷ ni, na'r ceffyl bach wedi llithro ar garreg slic. Ac O! y fath golled fyddai hynny wedi bod i ni i gyd.

Christine James' most vivid memory of the Cylch at Bridgend is the trip to the farm where she went along as a parent for a picnic to see the cows – and sing of course. The fun ended when her daughter, Eleri, collided with the nettles – apparently she always was quite dramatic! Then the other standout memory is when her son, Owain, took part in the Nativity play and rather ungraciously threw the baby Jesus into the manger after attempting to send him to sleep. This followed her other son, Emyr, yawning his way through his role as one of the Three Wise Men! Having been born into an English-speaking family, Christine feels that it is unlikely that she would have sung Welsh nursery rhymes to her children and grandchildren were it not for Mudiad's influence. She is so grateful to have been given this rich opportunity.

CYLCHOEDD Y CANGARŴS: SBONCIO O HIRWAUN I HAMADRYAD

Atgofion Dafydd Trystan
Cylchoedd Hirwaun, Grangetown a'r Bae

Fel sawl un o'r Cymry mae'n siŵr, un o'm hatgofion cynharaf yw bod yn y Cylch Meithrin pan oeddwn i'n fach ... yn fach iawn! Ac un o'r manylion sy'n aros yn y cof yw cais yr arweinydd, y ddihafal Mrs Mathias, i ni oll neidio fel cangarŵs. Bûm yn gwneud hynny yn hapus iawn, a byddai rhai'n dadlau nad ydw i wedi aros yn llonydd ers hynny! Ond roedd egni a brwdfrydedd Mrs Mathias yn denu cymaint o rieni i ddanfon eu plant i'r Cylch a thrwy hynny yn adeiladu seiliau addysg Gymraeg yng Nghwm Cynon.

Ddegawdau yn ddiweddarach ac erbyn hyn dwi'n gadeirydd llywodraethwyr Ysgol Hamadryad ac mae'r cyfle wedi dod i gydweithio gyda Chylch Meithrin Grangetown a'r Bae. Yma eto, dwi'n gweld sut y mae'r Cylch Meithrin wedi gosod seiliau cadarn iawn i addysg Gymraeg yn yr ardal ac i waith yr ysgol gynradd, drwy weithio'n ddiflino ac yn bwrpasol i ddenu teuluoedd newydd at y Gymraeg. Gan adeiladu ar waith rhagorol y Cylch, mae'r Ysgol wedi tyfu yn rhyfeddol o glou ac erbyn hyn yn denu'r criw o ddisgyblion mwyaf amlieithog ac aml-ethnig a geir mewn unrhyw ysgol Gymraeg drwy'r wlad. Mae'r plant yn y Cylch a'r Ysgol yn cael hwyl, a synnwn i fawr nad oes rhai yn eu plith heddiw eto yn mwynhau neidio fel cangarŵs wrth iddyn nhw gael eu harwain yn egnïol i ddysgu drwy gyfrwng y Gymraeg.

Mae'n dyled ni oll yn fawr iawn i Mudiad Meithrin a'm dyled i yn arbennig i Mrs Mathias!

One of **Dafydd Trystan**'s earliest memories is of being encouraged to jump like a kangaroo by the incomparable Mrs Mathias whose enthusiasm was the reason so many parents chose Welsh education in the Cynon Valley by sending their children to the Cylch in Hirwaun. Now, as chair of the governors of the multilingual, multiethnic Ysgol Hamadryad, Dafydd works with Grangetown and Cardiff Bay Cylch and is delighted to see the Welsh-medium provision growing fast. He fully recognises the debt he owes Mudiad and in particular Mrs Mathias!

O'R AUTO PALACE I GEFN Y CENTRAL: ARLOESI YN LLANDRINDOD

Atgofion Eluned Rees: Cyn-swyddog Datblygu De Powys

Wedi priodi ac ymgartrefu yn Llandrindod a chael mab, Tomos Daniel, fel nifer oddi cartref heb deuluoedd yn agos, dyma ffrindiau'n dod yn deulu. Ac mewn tref lle roedd tipyn mwy o Saesneg i'w glywed nag o Gymraeg, tueddai'r Cymry Cymraeg glosio at ei gilydd.

Des i adnabod Kaye Rees, yn wreiddiol o'r Rhondda, a dyma ni'n dwy a'n plantos yn dechrau mynychu 'playgroup' y dre a chwrdd ag ambell fam arall o Gymraes yno, megis Lyn Arch Evans, Ystrad Fflur.

Rywfodd neu'i gilydd, daeth Hywel Roberts, Cyfarwyddwr y Mudiad, i gwrdd â Kaye a fi a gofyn i ni sefydlu Cylch Meithrin yn yr ardal. Roeddwn i wedi bod yn gweithio i gyfrifydd yn yr Auto Palace yn y dref ac wedi hen benderfynu y byddwn yn dilyn cwrs TAR (Tystysgrif Addysg i Raddedigion) ar ôl i'r plant ddod yn hŷn. Roedd hwn yn gyfle annisgwyl felly, ond roeddem ni'n dwy yn barod i fentro. Cafwyd lle yng nghefn y Central, ac aethpwyd ati i sefydlu'r Cylch gan rannu stafell a theganau gyda'r 'playgroup' lleol. Os wy'n cofio'n iawn, tua dwsin o blant oedd gyda ni ar y cychwyn, gyda rhai yn dod o gartrefi Cymraeg ac eraill o rai di-Gymraeg,

ac roedd diddordeb mawr ymhlith pobl ddŵad fel finnau.

Byddai'r Cylch yn cwrdd ddwywaith yr wythnos a, gyda bod Kaye yn gerddorol iawn, roedd canu'n rhan bwysig o'r gweithgareddau.

Bythefnos wedi geni'r ail fab, Iwan, yn 1977, roeddwn yn ôl yn arwain y Cylch!

Yn fuan wedyn, daeth Bryan Jones yn Gyfarwyddwr ar y Mudiad, ac roedd yn chwilio am Swyddog Datblygu De Powys. Roedd Evelyn Davies yn barod yn Swyddog Datblygu yng ngogledd y Sir. A dyma ymgeisio amdani. Roedd cael y swydd hon yn golygu y gallwn fynd â'r plant gyda fi mewn car i wahanol fannau yn y De … ond yn gyntaf, roedd rhaid prynu car!

Yn y cyfnod hwn, sefydlwyd Cylch yn Llanwrtyd, ac fe ddaeth Llangynidr ac Aberhonddu o dan fy ngofal hefyd. Ond doedd pob ymgais ddim yn llwyddiant ac rwy'n cofio mai methiant fu'r ymdrechion i sefydlu Cylch yn Llanfair-ym-Muallt ar y pryd.

Fel yn y Siroedd eraill, roedd y Cylchoedd yn gweld eu rôl fel rhan o ddatblygu dilyniant, ac o dipyn i beth sefydlwyd Uned Gymraeg yn Ysgol Eglwysig Trefonnen, Llandrindod, gyda phump o blant llawnamser yno a llond dwrn yn dod yn y prynhawn. Tyfodd yr Uned fel y Cylch, a chysylltiad cryf rhwng y ddau, ac wrth i'r niferoedd godi, datblygodd yr Uned yn ddau ddosbarth … ac mae'r ddarpariaeth yn dal i fynd hyd heddiw.

Es i, maes o law, i weithio fel athrawes Gymraeg deithiol yn y Sir, gan gyflwyno'r iaith yn Franksbridge, Llanbister, Dolau, Maesyfed ac ardaloedd eraill. A does dim yn rhoi mwy o bleser i mi na gweld y dilyniant yn parhau, gydag, er enghraifft, un o gyn-ddisgyblion Crossgates, Kara Lewis, nawr yn gweithio ym Mhrifysgol Cymru y Drindod Dewi Sant yn diwtor-ddarlithydd Cymraeg, a'r rhai a feithrinwyd yn eu tro yn dod yn feithrinwyr cenedlaethau fory.

When **Eluned Rees**'s son was born, there was no Welsh-medium provision for toddlers in Llandrindod, but a few Welsh-speaking mothers met at a playgroup, and with the encouragement of the director of Mudiad, a Cylch was established. They met in the back of the Central starting with about 12 children from both Welsh and English-speaking homes. Later, Eluned became Development Officer for South Powys and Cylchoedd were established in Llanwrtyd, Llangynidr and Brecon. One of the great pleasures for Eluned is to see some of the children and pupils that have come through the system take the responsibility in turn of becoming Cylch leaders and teachers of Welsh themselves.

ANTUR 'SAM TÂN YN Y CWPWRDD'

Atgofion Emma Walford
Cylch y Bont-faen

Un o'r cerrig milltir pwysicaf i bob teulu newydd, dwi'n credu, yw'r diwrnod pan fyddwch chi'n gyrru eich plant i'r Cylch Meithrin am y tro cyntaf. 'Na'i fyth anghofio Efan yn ysu i gael mynd, 'ruck-sack' ar ei gefn, deinosor yn ei law a 'gel' yn ei wallt! Roedd hi'n haws ar Efan, efallai, ac yntau'n dilyn ôl troed Anni, ei chwaer fawr. Roedd hi'n mentro mynd yn fwy petrusgar, ond yno, yn barod amdani, roedd staff cynnes a gofalgar y Cylch, a'i harweiniodd hi i'w byd bach newydd i ganol y paent, y lliwio a'r canu.

A'r canu dwi'n ei gofio fwyaf. Canu 'Dewch i eistedd ar y mat …' a 'Hwyl Fawr Ffrindiau …' a'r canu Nadolig wrth gwrs. Roedd hi'n gymaint o fraint gweld y ddau yn eu tro yn datblygu ac yn dysgu'r gwersi pwysicaf: dysgu rhannu, dysgu gwrando, dysgu sut i wneud ffrindiau. Ac ar ddiwedd y sesiwn wedyn, roedd hi'n gymaint o bleser gweld y plant yn rhedeg allan o'r drws yn ysu i gael dangos eu gwaith neu adrodd stori neu ganu cân. Roedd yn gyfnod mor, mor hapus a dwi mor ddiolchgar.

Y peth arall sy'n aros yn y cof yw sylwi ar ba mor fach oedd popeth! Y toiled a'r sinc yn isel, fel y bachau yn y cyntedd lle cynhelid y drefn foreol hollbwysig o roi cot a bag ar y peg o dan eich enw.

Dwi'n cofio teimlo'n lwcus iawn i allu helpu ar wibdaith i Ynys y Barri un tro, ac Efan ymysg eraill yn rhedeg i

mewn i'r môr i ymdrochi yn ei ddillad, a hithau'n ganol gaeaf! Ond y staff i gyd yn annog y plant i fod yn rhydd ac i fwynhau'r profiad, a finnau fel rhiant yn teimlo'n saff bod y staff yn 'gwbod be oedden nhw'n neud'!

Rhaid mai'r profiad mwyaf 'bizarre' oedd gwisgo fel Sam Tân i gael diddanu plant y Cylch a gorfod newid yn y cwpwrdd ac aros yna yn y wisg o'm corun i'm sawdl nes bod aelod o staff yn dod i'm hebrwng i'r dosbarth! Dwi'n cofio edrych allan drwy lygaid Sam Tân ar wynebau bychain y plant, ac Efan yn eu plith, wedi rhyfeddu bod Sam Tân wedi dod i'w gweld nhw! Hyd heddiw dydy Efan ddim yn gwybod bod ei fam a Sam Tân yn gymaint o ffrindiau!

A dyna oedd y Cylch yn ei gynnig i'r plant - awyrgylch hudolus lle roedd cyfle i ryfeddu at rywbeth neu rywun bob dydd.

Roedd y Cylch yn rhoi nifer o gyfleon i rieni hefyd. Wrth fynd â'r plant i'r Cylch wnes i gyfarfod â fy ffrind Mary, sydd bellach yn ffrind mynwesol ers 15 mlynedd. Mewn gweithgareddau codi arian wedyn roedd cyfle

i rieni gyfrannu a theimlo'n rhan o'r gwaith, ac i rieni di-Gymraeg, fel fy ffrind Mary, roedd yn gyflwyniad arbennig i'r iaith ac i'r posibiliadau oedd ar gael i'ch plant drwy'r Gymraeg.

Doedd dim posib dweud 'na' wrth staff y Cylch, fel y mae 'Antur Sam Tân yn y Cwpwrdd' yn ei awgrymu! Roedd yr arweinwyr yn fenywod cryf, ac yn benderfynol o eisiau rhoi'r gorau i'r plant bob amser. Dwi'n cofio'r Cylch yn gwahodd rhieni newydd draw un noswaith, ond heb sôn mai dyma'r noson pan oedd 'Ethol Pwyllgor Newydd' ar yr agenda. Es i yno, fel rhiant newydd sbon, diniwed, i gefnogi yn unig, ond rywsut neu 'i gilydd, mi ddes i allan yn Drysorydd! Doedd hyn, cofiwch, ddim mor wael â beth ddigwyddodd i fam arall. Mi roedd y graduras yn yr ysbyty yn cael tynnu ei thonsils noson y cyfarfod … erbyn iddi ddod rownd o'r anesthetig, hi oedd y Cadeirydd. Ond doedd dim posib gwrthod!

Emma Walford is firmly of the opinion that taking your children to Cylch for the first time is a hugely important milestone. She remembers how her daughter, Anni, ventured in a little nervously, while Efan, safe in the knowledge that his big sister was there already, strode into the hall at Cowbridge. The small furniture, the paint, and the singing of course, are a kaleidoscope of memories. She notes how she enjoyed the opportunities to help out, from a winter's trip to Barry Island to being kept in a cupboard dressed as Sam Tân (or Fireman Sam) until the time was ripe to emerge and surprise the children. To this day her own son has no idea that his mother and Sam are such good mates! Above all, the friendships made at Cylch between children and parents are friendships for life.

PILIPALA YN Y BOLA ... BOLA MAM!

Atgofion Heledd Cynwal
Cylch Ffairfach

Alla' i gofio'r diwrnod fel ddoe, ond mae'r myrdd o luniau a dynnwyd o'r cyntaf-anedig wrth iddo ddechre ar ei antur fawr yn siŵr o brocio'r cof.

Ro'n i wedi croesi pont Llandeilo tuag at Ffairfach droeon yn y gorffennol, heb feddwl dim, ond roedd y bore 'ma yn wahanol. Wrth barcio'r car y tu ôl i Ysgol Ffairfach, agor y drws cefn a chodi'r crwtyn dwyflwydd oed o'i sedd, roedd 'na bilipala yn y bola, fy mola i. Dododd ei law fach yn fy llaw i a cherdded tuag at y 'portacabin', cartre'r Cylch Meithrin lleol. Dyma'r drws yn agor ac Eryl yr arweinydd yn barod â'i chyfarchiad; 'Wel, Gwern bach, dere mewn, ni ar fin dechre canu!' A dyma fe, a fi, yn ymlacio.

Heledd Cynwal remembers as if it were yesterday how she took her son to Cylch for the first time - though she's sure the multitude of photos taken at the time help! Crossing the bridge at Llandeilo towards Ffairfach, drawing up at the portacabin behind the school with butterflies in her stomach, until the leader opened the door with a 'Dere mewn, Gwern bach, we're just about to sing', and with that the butterflies came to a rest. The experiences of her three children at Cylch were many and varied, happy and worthwhile. Her message is one of heartfelt gratitude.

Profiad synhwyrus iawn gafodd y tri 'da ni o dan aden Mudiad Meithrin ... teimlo paent ar ddwylo, gweld cyfeillgarwch yn blodeuo, cael blas ar fwydydd newydd, arogli'r goedwig wrth grwydro a chlywed nodau'r gân – a'r cwbl yn naturiol Gymrâg.

A Gwern, Grug a Cadi bellach yn yr Ysgol Uwchradd, mae'r gofal, y llawenydd a'r asbri a gawson nhw wrth draed yr arweinyddion wedi'u serio yn y cof.

Diolch o galon!

Y MÔR RHIGYMAU

Atgofion Laura Karadog
Cylch Penrhosgarnedd.

Cyndyn iawn oeddwn i i fynychu'r Ysgol Feithrin. Roedd gen i chwaer fawr oedd eisoes wedi graddio oddi yno, a chael dechrau mynychu Ysgol Gynradd y Garnedd, ac felly fanno oeddwn i, y chwaer fach, eisiau bod. Ond, yn ddiarwybod i mi, roedd gwledd o fy mlaen, a hynny diolch i arweinyddiaeth Anti Olwen.

Ym Mhen Llŷn y magwyd Olwen Hills, ac yn ffodus i ni blant y meithrin, roedd hi'n tywallt pob diferyn o gyfoeth ieithyddol a diwylliannol ei magwraeth i mewn i'w gwaith. Roedd pob bore yn fôr o rigymau, idiomau, penillion a straeon, a'n dychymyg ni ar dân.

Alla i ddim meddwl am ddechrau gwell i addysg plentyn na hynny.

Diolch Anti Olwen.

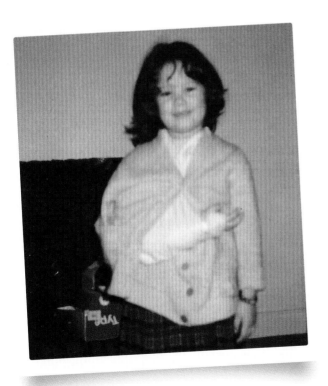

Laura Karadog didn't want to go to the Ysgol Feithrin in Penrhosgarnedd. Her big sister had left and was in Garnedd primary school, and that was where she wanted to be! But when she arrived, a feast awaited her, all due to the leadership of Auntie Olwen, who poured out every drop of the riches of her language and culture for the children. She set their imaginations alight with her treasury of rhymes, idioms, poems and stories. Laura cannot think of any better start to a child's education and ends with a sincere 'Diolch Anti Olwen'.

MYND AR DAITH AR FWS ANGELA

Atgofion Lleucu Siencyn
Cylch Trelái a'r Caerau

Ar ôl blynyddoedd o fyw yn Grangetown, symudon ni i'r Tyllgoed ddeng mlynedd yn ôl, bythefnos cyn i'n hail blentyn, Dyddgu, gael ei geni. Dyma ardal oedd yn hollol ddiarth i ni, ac yn hynod naïf, doedden ni heb wneud unrhyw ymchwil ar y ddarpariaeth addysg Gymraeg yn lleol cyn symud! Doedd dim angen poeni ryw lawer, meddylion ni! Siŵr fod y Gymraeg yn ffynnu yn y rhan hon o Orllewin Caerdydd, ardal oedd wedi profi cymaint o gynnydd yn y diddordeb a'r gefnogaeth tuag at y Gymraeg dros y ddegawd flaenorol? Ychydig a wyddem fod y sefyllfa yn y Tyllgoed, a thros yr afon yn Nhrelái, yn dra gwahanol i Dreganna goediog. Ond roedd newid ar droed …

Wrth i'r cyfnod mamolaeth barhau, roedden ni'n dal heb wneud unrhyw drefniant, ac yn dechrau poeni. Yna, wrth fynd am dro gyda'r babi bach newydd a Gruffudd, ei brawd mawr teirblwydd oed, dyma benderfynu mynd ar antur, a throi i'r dde drwy iet llwybr troed Birdy's Lane. Nawr, mae Birdy's Lane yn enwog yn yr ardal fel yr unig gyswllt uniongyrchol rhwng y Tyllgoed a Threlái. Does dim mynediad i geir hyd y lôn fach hon, dim ond i gerddwyr, beicwyr, ac ambell i gi. Mae'r iet yn cau am saith bob nos er mwyn stopio rafins y plwyf rhag ymosod ar ei gilydd! Lawr y lôn â ni, dan y bont rheilffordd sy'n llawn graffiti, hyd bont fach gadwynog dros afon Elái, nes cyrraedd byd arall. Ac yno, roedd adeilad â tho sinc, a chlamp o Sali Mali wedi ei pheintio ar yr ochr. Golygfa gwbl annisgwyl!

Wedi dod adref, ac edrych ar Google Maps, sylweddoli mai adeilad Cylch Meithrin oedd hwn, a hwnnw'n llythrennol rownd y gornel, dan un bont a thros un arall i'n tŷ ni. Gwnaethom ymholiadau, trefnu cwrdd â staff, ac ymhen dim, roedd Gruffudd yn treulio'i foreau yno, yn adeiladu, peintio, canu, a dysgu. Roedd ardal chwarae tu fas, dan gysgod rhes o goed pinwydd, ac adeg mabolgampau, byddai teuluoedd cyfan yn meddiannu'r 'bowling green' gyferbyn. Roedd ras sach y tadau yn hynod gystadleuol! A hyn i gyd drwy gyfrwng y Gymraeg, y plant dan ofal cyn-ddisgyblion Plasmawr a Glantaf, oedd mor falch gallu arddel yr iaith, rhai ohonynt heb unrhyw gyswllt arall â diwylliant ehangach y Gymru Gymraeg.

Dros y blynyddoedd daethom i 'nabod Cylch Meithrin Trelái yn dda iawn, gyda Gruffudd a Dyddgu'n treulio amser yno, yn rhannu eu dyddiau rhwng y Cylch a

Dosbarth Meithrin ysgol Gymraeg newydd sbon: Ysgol Nant Caerau. Roeddent yn cael eu hebrwng nôl a mlaen rhwng y ddau adeilad a thrwy strydoedd didoreth stadau tai enfawr ar fws Angela, a hithau wastad yn glên, wastad â gwên. Erbyn hyn, mae'r plant wedi tyfu, ac mae'r atgofion am y Cylch yn annelwig. (Oedd madfallod mewn casyn gwydr 'na? Oedd dosbarth trin gwallt?) Ond ry'n ni'n dal i weld Angela yn gyrru'r bws, gyda chenhedlaeth newydd o blant yn cael eu hebrwng trwy'r strydoedd. Mae'n codi llaw, ac yn gwenu'n braf. Ac mae'r diolch yn ein teulu ni'n parhau.

When **Lleucu Siencyn** and her family moved to Fairwater in Cardiff, they realised that they hadn't completely worked out where they were going to find a nursery and a school for the children. One day, however, taking a stroll through Birdy's Lane, a footpath which leads across the river to Ely, to her surprise she found a building adorned by a huge painting of Sali Mali. Checking it out later on Google Maps she realised that it was a Cylch Meithrin. They soon made enquiries and before long Gruffudd had joined and was merrily spending hours there painting, singing, building, playing and learning. When the time came for school, the children went to Nant Caerau, shuttling back and forth in Angela's bus, and though the children are older now, Angela can still be spotted driving along, still smiling with a new generation filling her bus … and the memories of old come travelling back.

EGNI: OLEW, GWYNT Y MÔR A THEULU

Atgofion Michelle Brooks-Jones
Cylch Mornant, Picton, Treffynnon

Dechreuodd Cylch Mornant yn 1992 yng nghantîn Ysgol Mornant, Picton, Treffynnon. Anti Anwen (Hughes) oedd yr Arweinydd, a Tracey Gunther a Paula Hughes yn ddwy Gynorthwyydd.

Yn 1995, ymunais i a'm cyfnither, Michaella Edwards, â'r staff. Rwy'n cofio'r Cylch yn symud i gaban wedi ei noddi gan Hamilton Oil, Talacre, a'r rhieni'n gweithio'n galed iawn i godi arian i addasu'r caban i'r plant.

Yna, yn 2005, gyda thristwch mawr, collon ni Michaella, a oedd erbyn hynny'n Arweinydd, a chamais innau i'r bwlch gyda Jackie Hughes yn cynorthwyo, ynghyd â Sarah Cooke a Hazel Parry am amser byr.

Yn ystod gwyliau Pasg 2018, cafwyd cyfle eto am gaban newydd i'r Cylch, y tro hwn gan gwmni Innogy, sef cwmni fferm wynt yn ardal Dociau Mostyn. Roedd un o'r tadau'n gweithio yno, a chyda grant gan Grant

Cymunedol y Meysydd Glo a Gwynt y Môr, talwyd i symud y caban o'r dociau i'w gartref ar safle'r ysgol. Cawsom ni Agoriad Swyddogol ar yr 28ain o Fehefin y flwyddyn honno yng nghwmni un o gyn-ddisgyblion Ysgol Mornant, Caryl Parry Jones.

Mae sôn yn aml am Gylch Meithrin fel teulu, ac mae hynny'n llythrennol wir yn achos staff ein Cylch ni. Dyna Michaella a Jackie'n chwiorydd, Tracey a finnau'n chwiorydd, a'r bedair ohonom yn gyfnitherod, gyda bod Hazel yn fam i fi a Tracey, ac yn fodryb i'r ddwy arall!

At hyn, rydym i gyd, gan gynnwys Mam, yn gyn-ddisgyblion Ysgol Mornant, ac mae'n plant ni oll wedi bod yn ddisgyblion yno hefyd ac yn aelodau o'r Cylch.

Erbyn heddiw, mae Connor Cleary wedi ymuno â ni fel Cynorthwyydd … a Sioned, fy merch!

Does dim syndod felly ein bod ni'n ymfalchïo yn awyrgylch agos-atoch y Mornant.

Cylch Mornant, Treffynnon (Holywell), started in 1992 in the school's canteen. When **Michelle Brooks-Jones** joined the staff with her cousin, Michaella Edwards, in 1995 it moved to a cabin sponsored by Hamilton Oil. In 2005, Michaella, who was by now the leader, sadly passed away and Michelle took her place. In 2018, the Cylch moved to a new cabin, this time sponsored by the wind farm company, Innogy. The Cylch truly lives up to its description of being 'like a family' since the staff is made up of sisters and cousins. And by today, two other assistants have joined the ranks – Connor Cleary and Sioned … Michelle's daughter!

CYCHWYN Y CYLCH, CYCHWYN Y CYDGERDDED

Atgofion Nia Parry
Cylchoedd Niwbwrch, Bae Colwyn a Rhostryfan

Mae cerrig milltir pwysig ym mywydau pob rhiant, diwrnodau y byddwn yn eu cofio am byth. Genedigaeth ein plant, eu camau cyntaf, y geiriau cyntaf ac yna'r diwrnod maen nhw'n mynd i'r Cylch Meithrin. Roeddwn wedi poeni am y diwrnod hwnnw. Sut allwn i ei adael o? A fyddai o'n iawn? Mi wnes i grio bob cam adref a syllu ar y cloc nes oedd hi'n amser ei nôl o.

Ond roedd Hedd wrth ei fodd, a Tirion hefyd pan ddaeth hi'n amser iddo fo fynd at yr Antis annwyl yn y Cylch. Roedden nhw wrth eu bodd yn cael chwarae a chanu a chwerthin, lliwio a gludo a thorri a phaentio, gwneud ffrindiau - a ffraeo weithiau wrth gwrs!

Yno fe ddysgon nhw beth oedd defod, a deall pwysigrwydd rhannu, a chael y cyfle i gamu ar lwyfan mewn sioeau Dolig a diolchgarwch gyda rhieni dagreuol balch yn gwylio. Buan iawn wnes

Nia Parry gyda'i mam, Rhiannon Parry

Nia Parry, like most parents, had worried about her son's first day, but Hedd was fine, as was Tirion later. At the Cylch in Rhostryfan they played and laughed, made friends amid all the usual activities and, just occasionally, fell out! Here they learnt the benefits of having routine and the importance of sharing. They were given opportunities to perform on stage before tearful parents. And Nia found that the shared experiences were just as important for her, as well as the friends she met, friends who support one another to this day. Being part of the Cylch family taught her the importance of community and made her realise that she would spend the next years trying to loosen the reins so that her children could move on in confidence and independence.

i sylweddoli bod y cam yma gyn bwysiced i mi ag oedd o iddyn nhw. Yma, drwy gydgerdded am adref, drwy fynd ar dripiau'r Cylch, drwy rannu profiadau a phoenau meddwl, y cwrddais i â'r ffrindiau arbennig sy'n fy nghynnal heddiw. Yma wnes i ddysgu bod cymuned a phentref yn rhan bwysig o fagwraeth plentyn ac yma wnes i ddysgu y byddwn yn treulio gweddill fy oes yn ceisio llacio'r awenau er mwyn galluogi ein plant i garlamu yn eu blaenau yn annibynnol ac yn llawn antur a chyffro.

Yn y Cylch y cychwynnodd hyn oll.

CARU CREU, CARU LLYFRE', CARU'R CYLCH

Atgofion Non Parry
Cylchoedd Capel Ebenezer Rhuddlan a Chrymych

Dwi'n cofio Mam yn arwain fi fewn i festri Capel Ebenezer yn Rhuddlan. Ro'n i'n blentyn bach ofnadwy o swil, a gyda bod gen i frawd a chwaer lot yn hŷn na fi doeddwn i ddim wedi arfer cymysgu llawer, felly o'n i yn nerfus ofnadwy yn mynd i'r Cylch. OND pan weles i'n enw uwchben peg o'n i'n *THRILLED*! Does gen i ddim syniad pam rili, falle roedd gweld cymaint o enwau eraill ar begiau yn gwneud i mi deimlo 'mod i'n perthyn i glwb am y tro cyntaf erioed … dwn i ddim?! Ond yn sicr, o'n i'n teimlo'n sbesial iawn fod rhywun yn disgwyl amdana' i a bod nhw wedi paratoi man arbennig i fi yna, os yw hynna'n 'neud synnwyr? Falle o'n i wedi teimlo'n unig tan hynna, anodd dweud. Ond dwi'n cofio'r teimlad o 'berthyn' ac o fod yn 'werthfawr' tu allan i'r cartref am y tro cyntaf. Dyna sy'n dod i'm meddwl i. Dwi'n cofio eistedd ar y llawr mewn cylch a theimlo ein bod ni gyd mor sbesial â'n gilydd ac mae hynna'n deimlad mor, mor werthfawr i blentyn bach, yn dydi?

Dwi ddim yn cofio lot arall heblaw am absoliwtli CARU cael creu pethe' allan o hen focsys wyau a 'cereal' a photeli plastig a phaent a glud ac ati. Roedd y Cylch Meithrin yn ailgylchu cyn bod sôn am ailgylchu! A hyd heddiw, dwi wastad yn meddwl am y Meithrin pan dwi'n edrych ar y pentwr ailgylchu yn y tŷ, a dwi 'di defnyddio'r gwersi cynnar hynny lot gyda fy mhlant fy hun. Os o'n i'n chwilio am weithgaredd unrhyw bryd – wel, chwilota drwy'r ailgylchu amdani!

Hefyd o'n i'n CARU llyfre', wastad wedi, felly roedd cornel llyfre'r Cylch yn lle hynod o gyffrous i fi. Es i 'mlaen i garu ysgrifennu storis fel merch fach, fach, a rŵan dwi'n ennill cyflog drwy ysgrifennu sgriptiau. Dwi'n siŵr mai'r cornel bach yna yn y Cylch Meithrin wnaeth ddechrau'r cariad sydd gen i at greu storis.

O ran fy mhlant fy hun, un peth sy'n aros yn y cof yw'r tro pan blannodd pob plentyn yn nosbarth Kitty Wyn fylbiau cennin Pedr, dwn i'm am faint o wythnosau yn barod at Fawrth y 1af. Ond wedi i bob un flodeuo'n hardd, cafodd Kitty afael ar siswrn ac yn dawel iawn heb i neb sylwi, torri pen POB UN i ffwrdd! WWWWWPPPPPS!! O'n i'n teimlo'n ofnadwy, ond roedd yr arweinyddion yn Nghylch Meithrin Crymych yn meddwl bod o'n hileriys. DIOLCH BYTH!

MWYNHAU YN Y MOOSE HALL

Atgofion Owain Wyn Evans
Cylch Rhydaman

Dim ond atgofion melys sy' gen i o fy amser yng Nghylch Meithrin Rhydaman! Plentyn yr 80au ydw i, ac o'n i'n ffodus iawn nid dim ond o gael tyfu lan mewn teulu llawn cariad, ond hefyd o gael profi'r chwerthin a'r dysgu yn neuadd y Moose Hall, Rhydaman. Hwn oedd lleoliad y Cylch Meithrin.

Non Parry remembers well going to the vestry in Ebenezer chapel, Rhuddlan, with her mother for the first time, feeling shy. But when she saw her name above the coat peg, she was thrilled and began to feel a bit special. And when she joined the others to sit in a circle, she thought they were all special, and that she belonged. She explains how she enjoyed the activities, the arts and crafts and the stories which have stood her in good stead with her own children. As a mother she recalls the time when her own children had started Cylch in Crymych and how they had planted daffodils in time for St David's Day only for Kitty Wyn to take a pair of scissors and behead them all just as they had blossomed. Non felt awful, but the Cylch staff saw the funny side! Thank goodness!

Dwi'n cofio chware yn y 'gegin' (nid cegin go iawn yn amlwg!) a chymryd rhan yn y sioe Nadolig a gweld goleuadau disgo am y tro cyntaf. I fod yn hollol onest, wnes i ddim mwynhau ysgol gynradd 'na'r uwchradd rhyw lawer, ond wnes i'n bendant fwynhau fy amser yn y Cylch Meithrin - amser a wnaeth siapo fy mhersonoliaeth! Mae meddwl am y cyfnod a dreuliais i yn y Moose Hall yn rhoi teimlad cynnes a hapus iawn imi.

Diolch i Gylch y Moose Hall a llongyfarchiadau mawr i Mudiad Meithrin ar y pen-blwydd arbennig yma!

Owain Wyn Evans has only happy memories of his time in the Moose Hall where the Ammanford Cylch was held. He remembers playing in the 'kitchen' (not real!), playing a part in the Christmas show, and seeing disco lights for the first time. In all honesty, he didn't enjoy the rest of his schooldays much, but his time in the Cylch shaped his personality. He thanks the Cylch in Moose Hall, and sends huge congratulations to Mudiad on its 50th.

HWYL A HALIBALŴ

Atgofion Rhian Hughes Ahmad
Cylchoedd Llundain

Er i ni fod tu hwnt i Glawdd Offa ac ymhell o Gymru fach, rwy'n cyfri ein bod wedi bod mor lwcus bod ein plant wedi cael y cyfle a'r fraint o gael chwarae, siarad, canu, gweiddi a dawnsio trwy gyfrwng ein mamiaith. Meddyliwch! A ninnau lan fan hyn ym môr mawr amlieithrwydd Llundain.

Nôl yn 2007 pan oeddwn i'n chwilio am Gylch Ti a Fi i'r mab cyntaf, dyma ni'n rhoi tro ar y Cylch oedd wrth ymyl Ysgol Gymraeg Llundain. Yma cafwyd croeso twymgalon a naws gartrefol gan y rhieni eraill a theuluoedd amlddiwylliannol eraill a dyna ble wnaethom ni ein cartref. Yn y man yma wnaeth y plant, yn ogystal â ni i gyd fel teulu, lawer o ffrindiau a chysylltiadau oes.

Erbyn hyn mae fy nhri phlentyn wedi mynychu'r Cylch chwarae, y Meithrin a'r Ysgol Gymraeg yn Llundain. Rydym ni'n hynod ddiolchgar am gefnogaeth Mudiad Meithrin i addysg blynyddoedd cynnar plant Cymry Llundain. Wrth i mi ysgrifennu nawr, gallaf glywed llawenydd y plantos yn fy nghlustie' yn joio mas draw yn canu caneuon bachog a bywiog y Mudiad; caneuon llawn geiriau gloyw.

Yna, yn 2011, gwawriodd cyfnod cyffrous newydd pan gafodd un o'r mamau Cymraeg, Awen Duggin, y syniad o gynnal digwyddiad Cymraeg i blant Lloegr - yn y brifddinas a thu hwnt. A dyma dîm o famau Cymraeg a di-Gymraeg yn griw gweithgar a phenderfynol o'r tri Chylch Chwarae yn Llundain a'r Ysgol Gymraeg, yn mynd ati i greu llond llwyth o sbri o dan faner Gŵyl Halibalŵ.

Roedd Gŵyl Halibalŵ yn ffordd arbennig o effeithiol i ddod â theuluoedd gyda phlant bach ar draws Llundain a'r cyffiniau at ei gilydd er mwyn sicrhau profiadau positif yn y Gymraeg ac i ddathlu eu Cymreictod. Yn ogystal â chael y siawns i fownsio (ac mi oedd yna gryn dipyn o hynny!), canu a dawnsio gyda chriw Cyw tu allan i Gymru, roedd hi hefyd yn bwysig o ran meithrin cysylltiadau cryf gyda Chymru. Profiad arbennig iawn i'r plant oedd cael cwrdd â'r union bobl roedden nhw'n eu gweld ar y teledu yn eu cartrefi bob dydd ar raglenni gwych Cyw. Dros y blynyddoedd, rhwng Trystan ac Einir, Dona Direidi a Ben Dant, roedd y plant wedi eu swyno. Ac yn goron ar y cyfan, roedd hi'n braf iawn cael croesawu aelodau o'r Mudiad yng Nghymru draw i'r Ŵyl. Ffantastig!

A pha beth gwell i blant ond gweld plantos bach eraill o bob oedran, lliw a llun yn siarad yr un iaith â nhw? Roedd Canolfan Cymry Llundain, S4C, cwmnïau Cymraeg a

phentwr o fam-gus a thad-cus yn barod iawn i gefnogi'r fenter er mwyn hybu'r Gymraeg yn y ddinas. Darparwyd lluniaeth i bawb gan rieni'r ysgol gyda llond bol o 'bice ar y maen' cartref a bocs bwyd i bob plentyn. Erbyn hyn mae'r Ŵyl yn rhan o galendr Cymry Llundain ac yn cael ei threfnu o dan oruchwyliaeth Joanna Thomas, ond mae pob Cylch yn rhan hanfodol o'r tîm yn ogystal â'r Cylch mwyaf newydd sef Cylch Canol Llundain. Oes, mae pedwar Cylch yn Llundain bellach, o'r Miri Mawr i'r Dreigiau Bach, o Ffalabalam (sy'n gobeithio ail-gychwyn wrth i ni fynd i'r wasg) i Gylch Canol Llundain.

Roedd hi'n wych cael bod yn rhan o dîm mor weithgar ac ymroddgar ac edrychwn ymlaen yn eiddgar am Halibalŵ arall pan fydd gofid yr hen Gofid wedi lleihau. Yn y cyfamser, 'Pen-blwydd Hapus haeddiannol iawn Mudiad Meithrin'.

Rhian Hughes Ahmad remembers how lucky they felt to have found a place in London and its sea of multilingualism where the children could play, talk, sing, shout and dance in their mother tongue. That was in 2007. Then, in 2011, one of the mothers, Awen Duggin, had the marvellous idea of creating a Welsh children's event in England. Called Gŵyl Halibalŵ, it was a great success. The cast of S4C's *Cyw* came and, more importantly, so did families from all over London and the surrounding areas, as well as people from Wales. The event is now firmly established in the London Welsh calendar – and there are now four Cylchoedd in London. Rhian looks forward to another Halibalŵ when the pandemic is over and in the meantime adds her voice to those wishing Mudiad Meithrin a well-deserved 'happy birthday'.

PROTESTIO, CODI LLAIS A CHODI'R TO!

Atgofion Rita Jones
Cyn Ddirprwy Brif Weithredwr

Roeddwn wedi symud i Gaerffili o Lanuwchllyn i briodi yn 1973 a dyma sylweddoli yn 1977 ar ôl geni Geraint nad oedd gennyf ffrindiau agos oedd yn Gymry Cymraeg yn yr ardal. Dyma ddod at fy nghysylltiad cyntaf i â'r Mudiad felly, sef drwy'r Cylch Ti a Fi yng Nghaerffili. 'Cylch Mam a'i Phlentyn' oedd yr enw swyddogol ar y cylchoedd i'r babanod lleiaf yn y dyddiau hynny, ac yn answyddogol roedd rhai'n ei alw yn Gylch 'Mam a'i Phram'. Da o beth felly bod dyddiau ychydig yn fwy goleuedig wedi newid yr enw i 'Cylch Ti a Fi'!

Drwy'r Cylch hwn ces gyfle i ddechrau gosod gwreiddiau yn y dref am y tro cyntaf a darganfûm fod nifer ohonom yn yr ardal yn bobol ddŵad h.y. yn Gymry Cymraeg heb deulu estynedig yng Nghaerffili. Bu'r Cylch Ti a Fi yn fodd i ni ddatblygu rhwydwaith cyfeillgar a chefnogol - cyfeillgarwch sydd wedi goroesi'r blynyddoedd, er bod ein plant wedi hen dyfu bellach.

Yn nes ymlaen yn 1982, cychwynnais weithio fel Swyddog Datblygu i'r Mudiad yng Nghwm Rhymni. Roedd yr 80au yn amser cyffrous iawn ym myd addysg Gymraeg yn yr hen Forgannwg Ganol. Roedd yna dîm ohonom ni'r Swyddogion Datblygu yn gweithio'n ddiwyd yn y Sir yn sefydlu Cylchoedd Meithrin a Chylchoedd Ti a Fi newydd, a thrwy hynny'n creu problemau dyrys i'r Awdurdod Addysg, a oedd yn gorfod ymateb i'r twf aruthrol yn y galw am addysg Gymraeg gan rieni'r Cylchoedd hyn! Treuliwyd llawer awr yn cefnogi rhieni oedd yn protestio tu allan i Neuadd Sir Morgannwg Ganol am ddiffyg cyfleoedd

i'w plant fynychu ysgolion Cymraeg. Anghofiaf fyth brotest rhieni Cwm Rhymni yn erbyn sefydlu Uned Gymraeg yn Ysgol Tiryberth. Roedd y rhieni'n daer am weld eu plant yn mynychu Ysgol Gymraeg yn hytrach nag Uned ar dir ysgol cyfrwng Saesneg, felly sefydlwyd Cylch Meithrin diwrnod llawn yng Ngelligaer ar eu cyfer. Ymhen y flwyddyn, arweiniodd hyn at sefydlu Ysgol Gymraeg gan yr Awdurdod yn unol â dymuniadau'r rhieni.

Oedd, roedd yr 80au yn gyfnod o ddatblygiad a thwf ac yn gyfnod mor braf i weithio ynddo. Roedd yn fraint bod yn rhan o fudiad oedd yn gweithio law yn llaw â rhieni cymoedd glofaol y De, rhieni oedd ar dân i'w plant gael y cyfle i dyfu'n ddwyieithog. Roedd yr Ŵyl Feithrin flynyddol ac Eisteddfodau'r Urdd a'r Eisteddfod Genedlaethol yn achlysuron llawn hwyl a bwrlwm i'r Cylchoedd ac yn fodd i ledaenu negeseuon pwysig am werth yr iaith a'r cyfleoedd oedd ar gael i blant y Mudiad. Un atgof yn benodol sydd gen i o'r cyfnod hwn oedd achlysur unigryw Y Diwrnod Difyr ar faes Sioe Llanelwedd. Gwahoddwyd staff pob Cylch Meithrin yng Nghymru i ddod i fwynhau gyda'i gilydd. Roedd yn gyfle i ddathlu a hefyd yn gyfle i ddiolch i'r holl staff ar lawr gwlad oedd yn gyfrifol am lwyddiant y Mudiad. Roedd 'logistics' dod â llond bysus o weithwyr meithrin o bob cwr o Gymru at ei gilydd i un safle yn enfawr, ond bu'n ddiwrnod bythgofiadwy.

Yn y dyddiau cynnar hynny, roeddem yn gweithio'n agos gyda Cennard Davies a Basil Davies ym Mholytechnig Pontypridd ar sefydlu cyrsiau Cymraeg i weithwyr meithrin. Roedd y myfyrwyr yn mynychu'r cwrs Cymraeg yn y Coleg am bedwar diwrnod ac yna'n dod atom ni'r Swyddogion Datblygu ar gyfer eu hyfforddiant meithrin. Mae gen i atgofion o gynnal un sesiwn hyfforddi mewn bwyty ar gyrion Pontypridd a chael fy nghloi yn nhŷ bach y gwesty ar ddiwedd y sesiwn. Roedd y myfyrwyr a staff y bwyty wedi mynd adref am y dydd. Och a gwae! Dim ffôn symudol ar gael bryd hynny, felly bu'n rhaid sefyll ar y rheiddiadur a gweiddi nerth fy mhen allan o ffenestr fechan wrth nenfwd y tŷ bach. Diolch i'r drefn fe glywodd rhywun ar y stryd! A does dim digon o ofod i ailadrodd yr hanes am y tro y bu i mi yrru fan i gasglu dodrefn ail-law i'r Mudiad a chodi to adeilad yn y broses ...

Yn nechrau'r 90au cefais fy mhenodi yn Gyfarwyddwr Cynorthwyol y De. Dyma ddechrau cyfnod arall hynod o gyffrous dan arweinyddiaeth Hywel Jones,

cyfnod lle gwelwyd Mudiad Meithrin yn datblygu'n gorff proffesiynol ar lefelau cenedlaethol a lleol trwy ei bwyslais ar hyfforddiant ac ansawdd. Sefydlwyd strwythurau cenedlaethol a thîm o arbenigwyr blynyddoedd cynnar i ddarparu cefnogaeth broffesiynol i'r Cylchoedd.

Ac er bod fy ymwneud swyddogol â'r Mudiad wedi dod i ben, mae rhywun yn dal i deimlo cysylltiad ac rwyf wrth fy modd yn cael cyfle i rannu rhai atgofion a dymuno pen-blwydd hapus iawn i fudiad sydd mor bwysig i blant Cymru ac i'r Gymraeg.

Rita Jones moved to Caerffili from Llanuwchllyn on getting married in 1973. By 1977, when her son, Geraint, was born, she realised that she had no Welsh-speaking close friends in the area. That changed when she first came into contact with Mudiad through Cylch Ti a Fi, (or 'Mam a'i Phlentyn' as it was then), and the friends she made there have remained a close supportive network to this day. In 1982 she started work as a Development Officer for Mudiad in Cwm Rhymni before eventually becoming Deputy Director. Much of her time was spent supporting parents in their dealings with a less-than-enthusiastic Education Authority. The Ysgol Tiryberth episode stands out when the parents refused to be fobbed off with a 'unit' on an English-medium campus when what they wanted was a Welsh-medium school. She has many fond memories but you don't want to hear how she got locked in the lavatory at the end of a course when all the participants had gone home!

CAM WRTH GAM AT Y GYMRAEG AC AT WAITH

Atgofion Sue Rayner
Cylch Llanbedrog

Cefais gyfle gwych dros 17 mlynedd yn ôl i hyfforddi fel gweithiwr gofal plant ar yr amod y byddwn yn dysgu Cymraeg! Cefais fy annog i wneud hyn gan y cyfwelydd a chefais fy nerbyn ar gwrs a gynigiwyd gan Cam wrth Gam. Dyna pryd y cychwynnodd y daith wrth i'm hyfforddiant ddechrau ochr yn ochr â'm gwersi Cymraeg! Roedd y cwrs yn hwyl ac yn gymharol hawdd, ond profodd y dysgu Cymraeg ychydig yn anoddach. Daliais ati ac o dipyn i beth dechreuodd fy nealltwriaeth o'r Gymraeg wella'n raddol. Roedd yn her ac yn hwyl!

Rwy'n teimlo ei bod hi mor bwysig dysgu iaith y lle yr ydych chi'n byw ynddo ac annog eraill i wneud yr un peth. Es ymlaen i ddatblygu fy sgiliau ac rwyf wedi cyflawni Lefel 5 mewn Gofal Plant a pharhau â'm gwersi Cymraeg am 16 mlynedd!

Erbyn hyn, rydw i'n Arweinydd mewn Cylch Meithrin ac yn gallu siarad Cymraeg gyda'r plant. Rwy'n caru fy swydd ac mae'r Cylch mor bwysig i mi. Rwyf wedi gweld sut mae'r plant yn ein gofal yn ffynnu ac yn datblygu eu sgiliau trwy ddysgu Cymraeg yn ifanc iawn. Nid ydyn nhw'n ei gwestiynu, fel rydyn ni'n ei wneud fel oedolion. Maen nhw'n amsugno'r cyfan fel sbwng! Rwy'n dal i ryfeddu at ba mor hawdd y maen nhw'n

Barbara, Sue a Sarah Cylch Meithrin Llanbedrog

codi'r iaith, ac yn gallu canu caneuon yn Gymraeg ar ôl cyfnod cymharol fyr.

Byddaf bob amser yn ddiolchgar i'r holl bobl sydd wedi fy annog i barhau i ddysgu Cymraeg a chredaf ei bod yn bwysig iawn imi wneud yr un peth i eraill.

17 years ago, **Sue Rayner** was offered a job in the childcare sector on condition that she learnt Welsh. She was accepted on a course offered by Cam wrth Gam, and though it was challenging, she enjoyed it. By now she is a leader in the Cylch Meithrin in Llanbedrog, and still marvels at how easily young children pick up the language. They approach it without question and without fear, unlike adults. She will always be grateful to all who have encouraged her to persevere with learning Welsh, and believes that we should all encourage and support others to take up the challenge.

GARIBALDI YN Y GERLAN: TRAI A LLANW'R COF

Atgofion Tim Hayes
Cylch y Borth, Ceredigion

Dyna ryfedd yw'r cof. Heb orfod meddwl am fy mhrofiadau Meithrin ers dros ddeugain o flynyddoedd, ro'dd yr atgofion ar drai ac yn araf i ddychwelyd ar y dechrau. Ond wrth fyfyrio, agorodd y llifddorau! Tonnau o wahanol synhwyrau yn golchi dros dywod yr isymwybod, a'r rheini'n dod yn atgofion byw am brofiadau yn Festri Capel y Gerlan, dafliad carreg o draeth y Borth, bron i hanner canrif yn ôl.

Yr atgof cyntaf yw'r arogl. 'Stafell damp a'r arogl hwnnw'n gryfach ar ddiwrnod oer, wrth i'r pibau gwresogi tanboeth o dan y meinciau pren o amgylch y festri gylchdroi aer hyd y nenfwd uchel.

Arogl arall sy'n llifo'n ôl i'r cof yw'r paent oedd yn cael ei gymysgu gyda dŵr, a hwnnw'n troi'r papur yn gardfwrdd stiff o dan haen ar ôl haen o'r paent. Doedd y lluniau ddim yn amrywio llawer ... smotyn mawr melyn allai fod yn haul, yn flodyn, yn wyneb neu'n dân gwyllt!

A blas. Sgwosh. Sgwosh gwan. Nid llaeth. Mae'n bosib bod 'Thatcher y Milk Snatcher' wedi gwneud ei gwaith erbyn hynny, neu falle nad oedd y cysyniad o fwyta'n iach wedi cyrraedd y Canolbarth! Ond yr hyn oedd fwyaf trawiadol am yr holl brofiad oedd y 'gwydrau' – plastig. Rhai oren. Yn grwn ar y top ac yn sgwâr ar y gwaelod. A beth am y snac amser egwyl? Ambell i fishgïen Garibaldi ... ac ar ôl i Martyn ddweud mai pryfed oedd yn eu canol, bu pob un ohonon ni'n trio'n gore' i dynnu'r cwrens a'u gadael ar ochr y plat.

Fuzzy Felt, clai a Duplo. Dyna rysáit am adloniant a difyrrwch. Oriau o gynllunio a chreu, gan deimlo'r gwahanol ddeunyddiau yn ein dwylo. Mynegi'n hunain drwy'r celfyddydau cyn clywed sôn am Donaldson!

Pan ddaeth diwedd y cyfnod, bu'n rhaid i ffrindiau wasgaru am ychydig. Rhai yn aros yn y Borth ac eraill yn teithio i Ysgol Gynradd Rhydypennau, cyn ail-gwrdd eto yn Ysgol Gyfun Penweddig.

Diolch am y cyfle i gael hel atgofion, a gobeithio na ddaw'r llanw i'w golchi o'r cof yn rhy fuan.

Memory is a strange thing. When **Tim Hayes** started to look back over 40 years, the memories were vague, but as he concentrated the floodgates opened and recollections of Gerlan Chapel vestry near the beach in Borth came pouring in. First, the smell in the damp room, worse when the heating was on in the cold and the air started rising to the high ceiling. Then the paint which turned a sheet of paper into cardboard by its repeated application reproducing similar pictures featuring a yellow blob - which could be the sun or a flower or a face or a firework! And the taste of the weak squash and the Garibaldi biscuits from which the children picked out the currants after Martyn had said they were dead flies! His message is one of thanks for the hours of creativity, fun and friendships.

PROJECT PUM MIL

Cylch Nelson

Cyfarfod ZOOM gyda'r Arweinyddion: Sharon Lewis-Conolly a Ruth Corney a'r gyflwynwraig Emma Walford.

Ym mis Rhagfyr 2020 llenwyd sgrin sgwâr S4C gyda hanes Cylch Nelson.

Dyma Gylch sydd wedi ennill dwy wobr gan y Mudiad, y naill yn 2017 yn y categori 'Darpariaeth', a'r llall yn 2018 am yr 'Ardal Tu Allan'. Fodd bynnag, er bod yr ardal tu allan wedi cynnig cyfleoedd ardderchog i'r plant yn y gorffennol, roedd tywydd garw wedi difetha'r adeiladwaith yno, a bellach, bagiau plastig mawr IKEA oedd yn cadw'r cyfan at ei gilydd. Byddai ei adnewyddu'n brosiect costus. Prosiect â blas sawl mil o bunnoedd arno …

A dyma'r ddwy Arweinydd craff yn cael fflach o ysbrydoliaeth! Beth am fentro cysylltu gyda chriw y gyfres boblogaidd, *Project Pum Mil*?! Doedd dim i'w golli!

Fisoedd yn ddiweddarach, gan barchu holl reolau haearnaidd y pandemig a thros gyfnod o sawl wythnos, daeth Emma Walford, Trystan Ellis-Morris a chriw da o wirfoddolwyr at ei gilydd i drawsnewid yr ardal. Allai Dewin a Doti ddim fod wedi gwneud gwell job!

Drannoeth y darlledu dyma gyfle i holi Sharon a Ruth yng nghwmni Emma am eu profiad.

Wedi ei geni a'i magu ym Merthyr, ac yn byw yno hyd heddiw, rheolwraig gyda banc Barclays oedd Sharon am 30 mlynedd. Pan ddaeth cyfle i ymddeol yn gynnar, bachodd arno a throi ei golygon at gynllun hyfforddi Cam wrth Gam y Mudiad.

Un o Gaerdydd oedd Ruth yn wreiddiol, ac wedi ei hyfforddi fel rheolwr llwyfan ac athrawes ysgol gynradd. Roedd hi a'i gŵr wedi ymgartrefu yn Lloegr, ond gyda'r mab bach yn dod at oed ysgol, roedd y teulu'n awyddus i ddod yn ôl i Gymru. Fel Sharon, cael ei magu ar aelwyd ddi-Gymraeg oedd hanes Ruth hefyd, ond roedd Ruth wedi cael addysg Gymraeg ac yn gwbl benderfynol o roi'r un cyfle i'w mab. Er mwyn cymhwyso i weithio yn y sector Blynyddoedd Cynnar, aeth Ruth ati i ddilyn y cyrsiau angenrheidiol fel Diogelu Plant ac ennill y tystysgrifau priodol.

Ac fesul cam, o dipyn i beth, wele'r ddwy â'u cariad angerddol at blant bach ac at y Gymraeg yn dod i weithio yng Nghylch Nelson. Bellach maen nhw'n gyd-arweinyddion yno a Ruth a'r teulu wedi ymgartrefu ym Mynwent y Crynwyr, rhyw filltir neu ddwy o'r feithrinfa.

Roedd treulio hanner awr yn eu cwmni yn ddigon i godi calon y gwannaf, Covid neu beidio, ac wrth eu clywed yn adrodd hanesion difyr am eu profiad yn cydweithio, hawdd deall pam eu bod yn cael eu galw'n 'Mary a Marina' o'r rhaglen gomedi *Gogglebox*! Os cewch chi gyfle i'w perswadio i ddweud hanes y noson wobrwyo gyntaf, byddwch yn barod am lond bola o chwerthin. O'r gwisgo ffrogiau gorau, y trin gwallt, y colur a'r sgidiau sodlau uchel … ac yna'r cyrraedd Aberystwyth a gweld pawb arall mewn dillad gwaith a'r seremoni mewn stafell gynadledda, mae'r hanes - a'r dull dweud - yn gomedi pur. (A dweud y gwir, maen nhw'n hoffi meddwl mai eu hymdrech Oscaraidd nhw sydd wedi gweddnewid y nosweithiau gwobrwyo i fod yn ddigwyddiadau tipyn mwy sgleiniog yn y blynyddoedd diweddar!)

Trystan Ellis-Morris, Dewin ac Emma Walford yng Nghylch Meithrin Nelson 2020

Tu hwnt i'r hwyl, y peth mwyaf trawiadol amdanynt yw diffuantrwydd eu brwdfrydedd dros y plant a'r Gymraeg. Fel sy'n wir am gynifer o Gylchoedd, yn Nelson, ar gyfartaledd, dim ond un plentyn y flwyddyn sy'n dod o gartref 'Cymraeg i gyd'. Mae rhyw dri wedyn yn dod o gartrefi lle clywir peth Cymraeg a'r gweddill i gyd yn dod o gartrefi cwbl ddi-Gymraeg. Ond mae'r Cylch yn ffynnu gyda rhestr aros â chynifer o rieni yn yr ardal yn teimlo bod yr iaith Gymraeg yn bwysig ac yn teimlo'n edifar na chawson nhw eu hunain gyfle i siarad yr iaith.

Gyda bod pob Cylch yn elusen, roedd rhywun yn synhwyro'r cyfrifoldeb sydd ar y staff a'r ymddiriedolwyr i chwilio grantiau, talu rhent, biliau, prynu adnoddau, gofalu am yr adeiladau, heb sôn wrth gwrs am feithrin y plant. Roedd Sharon a Ruth fel ei gilydd yn llawn gwerthfawrogiad o'r modd y mae'r Mudiad yn cynnig cefnogaeth i'r Cylchoedd ar bob lefel, o'r hyfforddiant sut i feithrin plant i'r arweiniad ar faterion cyfansoddiadol a gweinyddol. Heb os, bu'r flwyddyn ddiwethaf yn un eithriadol o heriol, argyfyngus hyd yn oed, gyda'r Cylch yn gorfod cau yn ystod anterth y Feirws a dim digon o arian i dalu'r biliau, ond drwy'r cyfan, roedden nhw'n gwerthfawrogi'r modd y bu'r Mudiad yn gefn iddynt.

Roedd profiad *Project Pum Mil* wedyn wedi tynnu'r gymdogaeth at ei gilydd ac wedi hybu ymwybyddiaeth am y Cylch. Roedd y gatiau mawr newydd yn sicr yn tynnu sylw a hynny'n bwysig gan fod y safle wedi ei guddio braidd ar stryd ochr y tu ôl i adeilad mawr. Ac mae'r gatiau trawiadol bellach ar agor, a'r Cylch yn falch o gael croesawu'r plant yn ôl.

Roedd hi'n gwbl amlwg bod Ruth a Sharon yn teimlo'r fraint o weld rhieni yn ymddiried eu plant i'w gofal gan wybod maint y cam hwnnw o adael y rhai bach am awr neu ddwy neu fore cyfan. Roedden nhw hefyd yn pwysleisio dro ar ôl tro, y tu hwnt i bob polisi a chynllun mai'r plant yw sylfaen popeth.

Y plant oedd sylfaen y Mudiad hanner can mlynedd yn ôl, nhw yw'r sylfaen heddiw, a nhw fydd y sylfaen yfory.

Eu hapêl wrth i'r sgwrs ddod i ben oedd annog rhieni i beidio â gofyn 'pam ddylen i anfon fy mhlentyn i'r Cylch?', ond yn hytrach 'pam fydden i ddim eisiau rhoi sgil ychwanegol i'm plentyn?'

Emma Walford gafodd y gair olaf, wedi cael agoriad llygad yn gweithio ar y safle yn Nelson, ac roedd ei neges hi'n syml:

'Os y'ch chi am weld eich plant yn ffynnu a'r iaith Gymraeg yn tyfu: cefnogwch eich Cylch lleol!'

A meeting via Zoom with **Sharon Lewis-Conolly**, **Ruth Corney** (Nelson Cylch leaders) & **Emma Walford**, presenter of S4C's *Project Pum Mil*.

Cylch Meithrin Nelson had won two prizes at Mudiad's award ceremonies, the first in 2017 for its provision and the second in 2018 for its outdoor area. Unfortunately, stormy weather had ruined that area and to renovate it would be costly. But then S4C came to the rescue with their *Project Pum Mil* programme and an injection of £5,000. In a matter of months, respecting Covid-19 rules, a TV crew and energetic volunteers came together to transform the area and by December 2020 their success was celebrated on Wales' TV screens.

After the broadcast, the leaders were interviewed. Merthyr born and bred, and still living there, Sharon had been a bank manager for 30 years before taking early retirement and enrolling on a Cam wrth Gam course with Mudiad. Ruth comes from Cardiff and had trained as a primary school teacher and stage manager. From an English-speaking family, she was educated in Welsh and was determined that her son should have the same chance, so moved back to Quakers Yard from England with her husband and child. They clearly enjoy their work and have a huge enthusiasm and love for the children and the Welsh language. It's little wonder that the provision in Nelson has a waiting list! They're proud of how the children leave their care as confident speakers of Welsh, especially so as just one child a year comes to their Cylch from a Welsh-speaking home. They're grateful for the strong support of Mudiad as they shoulder the responsibilities of running the Cylch. As the interview drew to a close, they emphasised their belief that the question parents should ask themselves is not 'Why should I send my children to the Cylch?' but 'Why should I not want to give my children a further skill?'. Children were the foundation of Mudiad fifty years ago, just as they are today and just as they will be in the future.

PENNOD 5

Y CYLCH A FI: HANNER CANT A MWY O NEGESEUON

CYLCH AND ME: 50+ GREETINGS

Dyma flas o rai o'r negeseuon a dderbyniwyd gan rieni cyfredol. Maen nhw'n ymddangos yma yn yr iaith wreiddiol. Er nad yw gofod yn caniatáu lle i bob cyfarchiad unigol, gobeithio bod ysbryd pob un wedi ei ddal yn y casgliad.

Below are some of the messages we received from current parents. They appear in the original language. Though we could not list each and every greeting, it is hoped that the spirit of all of them is reflected here.

66 'We were apprehensive at first to send our children to a Welsh school as we are not fluent ourselves. However both boys are doing exceptionally well and we couldn't be happier with our decision. Attending the Cylch Meithrin really helped with the initial stage of learning and both boys really enjoyed their time there. We feel that sending them to a Welsh school opens up a whole new choice of careers, whilst keeping the Welsh language alive.' 99

66 'Thank you so much for everything you have done for our son over the last year. He has really enjoyed his time with you all and has come on leaps and bounds. His confidence has grown as well as his language skills and a lot of that is down to the excellent care he has received whilst at the Cylch. You all do such an amazing job and are worth your weight in gold.' 99

66 'This is my third child to attend this Meithrin and like my older two, she loves every minute of her time spent here. I couldn't be more grateful to all the lovely staff for all of the work they put into their job. Such a lovely, happy atmosphere and I'm amazed at how much my children have learnt, especially leaving being completely fluent in Welsh.' 99

66 'My family are from a non-Welsh-speaking background and my children have thoroughly enjoyed going to Cylch. It is a lovely Cylch, with excellent staff. For us there was also the added bonus of the children learning another language and all the benefits that brings!' 99

66 'Diolch yn fawr am bopeth i chi wedi 'neud i'r bois yn yr amser buon nhw gyda chi. O'n ni'n becso ar y dechrau bydde nhw ddim yn 'setlo' ond mae nhw wedi dod mlaen cymaint ers mis Hydref - mae gwahaniaeth mawr ynddynt.' 99

66 'You do an amazing job! He's had so much support from all of you which has helped him come on leaps and bounds. You are all fantastic and have all always been amazing with all three of my children. I'm so grateful for everything you all do! So, thank you all so much.' 99

66 'Mae plant ni wrth eu boddau cael mynd i'r Feithrinfa i chwarae gyda'u ffrindiau a chael hwyl gyda'r staff. Yn aml iawn mae'r plant yn siarad yn gynnes am y staff ac yn sôn am y gweithgareddau mae nhw wedi neud y diwrnod yna.' 99

'We can't thank you enough for the love, support, and encouragement you have given our child. We have felt she has been well cared for especially with her allergies and skin, this is shown in the happiness she has coming to the Meithrin. We hear lovely stories of fun things you do. She has progressed so much and her Welsh is fantastic, she's been re-teaching her Dad (haha!). You will all be missed.'

'Can't fault the team at the Cylch, they are fantastic and from day one my daughter has absolutely loved it.'

'You have gone above and beyond for us as a family to get to know the staff.'

'Thank you all for your hard work, caring and support throughout the last year; it is so deeply appreciated.'

'Our little girl (2½ years) thoroughly enjoys her time at Cylch, she sings lots of Welsh songs when she comes home and is teaching me lots of new Welsh words too! I love that she is able to speak two languages at such a young age - a huge advantage for when she starts school!'

'My child is very happy in the Cylch and he can't wait to go each morning. Staff are always kind and polite when I take my child to and from there. I am very happy with the care that he receives. I love seeing all the photos of activities each week and seeing my child have so much fun.'

'I ni wir yn gwerthfawrogi eich gofal, amser a'r gefnogaeth i chi wedi rhoi i'r bois a'u hanghenion. Gobeithio gewn nhw gymaint o sbort yn ysgol ag y mae nhw wedi cael gyda chi! Diolch eto.'

'We put the boys into the Welsh education system as we thought the opportunity to be bilingual was a great one. Also, we liked the fact that, generally speaking, the same kids they were in Ti a Fi with they would end up with in the sixth form, we liked that continuity and stability and also we liked the fact that the boys would feel a stronger Welsh identity being taught in Welsh and being closer to Welsh culture.'

'I'm very grateful to the wonderful staff, my child has grown in confidence and her personality has shone through more and more. Her Welsh speaking has improved and I know she will leave the Cylch with lovely fun memories. Thank you.'

'He loves going to Cylch, his Welsh language is really coming on. I was very impressed with the way the staff sorted out extra help for him when he first started. They listened to my concerns at the time which put my mind at ease. His confidence has grown so much this past year, I feel his time at Cylch so far is definitely helping to prepare him for starting primary school. Thank you all.'

'Mae'n braf gweld y plant yn datblygu yn dda drwy'r chwarae. Weithia mae'r ferch yn gofyn i fynd i'r Feithrinfa ar ddydd Sadwrn! Mae hyn yn dangos i ni bod hi'n mwynhau mynd ac yn edrych mlaen at gael mynd. Mae'r staff bob tro ar gael i ddelio efo unrhyw broblem ac yn ymateb yn sydyn iawn bob tro.'

66 'She didn't feel any of the effects of the restrictions of Covid. She was welcomed as warmly as ever and it kept some normality for her through this pandemic; we can't praise the staff at the Cylch enough, she has progressed in every aspect and both she and we are sad she will be leaving.' 99

66 'My child enters the Cylch happy, and she comes out the same way, if not happier!' 99

66 'The staff are fantastic, and welcomed us as a family with kindness. Communication is superb and my daughter enjoys attending and continues to learn so much.' 99

66 'Thank you for helping me grow.' 99

66 'Massively positive thing for our son and completely the right choice for us as parents.' 99

66 'I would without hesitation highly recommend the Cylch to absolutely anybody, and cannot praise the staff highly enough for the incredible work they do.' 99

66 'As an English-speaking family we thought it might be difficult but in fact it was amazing. Our child learnt to be around other children and learnt Welsh quickly and so did we.' 99

66 'Diolch yn fawr iawn am bopeth yn ystod y flwyddyn ddiwethaf. Mae ein merch wedi joio mas draw. Ni'n ddiolchgar iawn i chi gyd.' 99

66 'The Welsh language is very important to us as I'm a Welsh speaker and proud of my roots and my partner is English. We both want our son to be enriched with both languages but want him to attend a Welsh school for his education that will carry him and sustain him for the future. Having two languages is rewarding.' 99

66 'Ces i fy magu yn Lloegr a cholli'r cyfle i fynd i Gylch Meithrin. Rwyf wrth fy modd felly bod fy mab yn cael y profiad hwnnw. Mae gweld ei ddatblygiad ym mhob agwedd ers dechrau yno yn rhyfeddol. Diolch o galon i'r staff i gyd.' 99

Swyn

'Dwi'n licio chwarae ar y sleid, chwarae hefo'r babis, ar y beics a'r Siop Flode a'r gegin fach. On i'n licio mynd ar y bws i'r capel i gael picnic hefo'r bobl hen.'

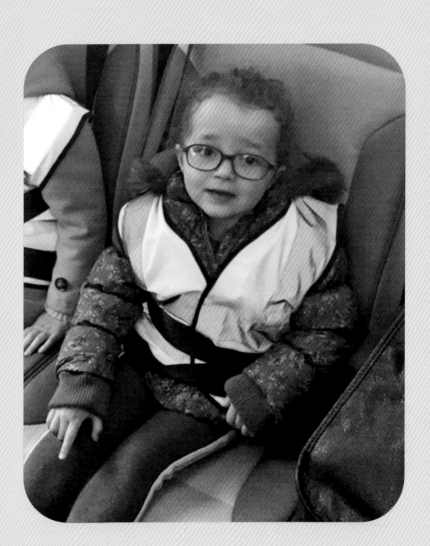

Mariela

'Dwi'n hoffi chwarae efo ffrindiau.'

" Mali

'Dwi'n hoffi dod i'r Cylch i chwarae hefo'r tair ffôn. Dwi'n hoffi chwarae ar y llwyfan a chanu a dawnsio. Dwi'n licio neud zumba hefo Anti Mererid ac Anti Sioned.'

"

66

Spencer

'Dwi'n hoffi chwarae
efo'r ceir ar y trac
a'r garej.'

99

"

Arlo

'Dwi eisiau
chwarae efo
robot yn Cylch.'

"

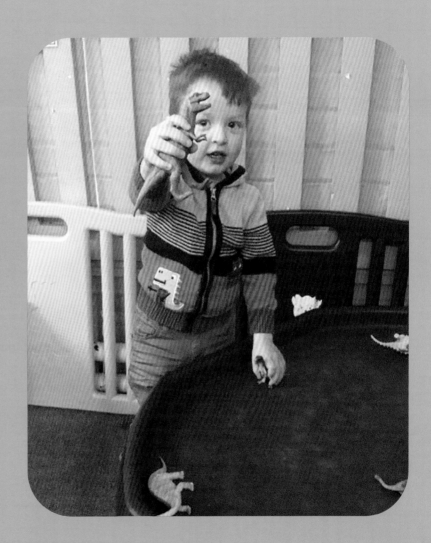

Oliver

'Dwi'n hoffi dod i
Cylch i fynd ar y beic.'

Deio

'Dwi'n hoffi llyfrau
a ffrindiau.'

Emilia

'Dwi'n hoffi chwarae efo ffrindiau fi i gyd.'

Livvy

'Dwi'n hoffi canu a dawnsio.'

Harri

'Mae Cylch yn hwyl. Dwi'n hoffi chwarae efo'r trenau.'

66

Efa

'Dwi'n caru Cylch
a Antis fi.'

99

Angela

'Dwi'n hoffi lliwio.'

Thea

'Dwi'n hoffi chwarae
efo'r byd bach.'

Megan

'Dwi'n hoffi cael dod i chwarae.'

"

Raidah

'Dwi'n hoffi canu a dawnsio yn y Cylch.'

"

"

Pak
Lam

'Dyma'r dail brown.'

"

Dafydd

'A dwi'n hoffi cael
dod i chwarae.'

Gwennan

'Dwi'n mwynhau
chwilio am fwydod
yn yr ardd.'

Lucas

'Rydw i yn hoffi adeiladu yn y Cylch.'

Evie

'Dwi'n hoffi peintio, canu 'Seren Fechan' a 'Dau Gi Bach', dysgu mynd ar beic tair olwyn a gwneud ffrindiau.'

Gethin

'Dwi'n hoffi chwarae yn y tywod.'

Edith

'Dyma fy ffrind: Y Tedi Mawr. Dwi'n hoffi'r teganau meddal.'

"

Harri

'Dwi'n mwynhau
canu a chwarae'r
gitâr.'

"

Mali Fflur

'Dwi'n hoffi Cylch achos dwi'n hoffi chwarae gyda ffrindiau fi, Anti Sarah ac Anti Donna.'

Felix

'Rydw i'n hoffi dod
i Cylch i chwarae
efo fy ffrindiau'

"

Siwan

'Rydw i yn hoffi Dewin
a Doti yn y Cylch'

"

Catrin

'Dwi'n hoffi'r cylch achos ni'n peintio a rhoi pethau ni lan ar y wal. Hefyd fi'n hoffi bod chwaer fi yn dod hefyd.'

Rowan

'Dwi'n hoffi'r Cylch achos dwi'n hoffi peintio a chwarae gyda fy ffrindiau a bwyta brechdanau!'

Hari

'Dwi'n hoffi dod i'r Cylch i chwarae hefo'r deinosoriaid a'r beics. Dwi'n licio gwneud perfformiad tu allan. A dwi'n licio chwarae hefo'r parasiwt a neud ioga.'

Cylch Meithrin Sarnau a Llandderfel

Cylch Meithrin Bancyfelin

Cylch Meithrin Prion

Cylch Meithrin Hywel Dda

Cylch Meithrin Dyffryn Banw

Ti a Fi Crai